MO DON

konfrontace

dialektika života

Copyright © 1975 by Ivan Sviták

ivan sviták

děvčátko s červenou mašlí

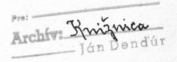
Pre:
Archív: Knižnica
Ján Dendúr

Université d'Ottawa
BIBLIOTHÈQUES
LIBRARIES
University of Ottawa

konfrontation ag
zürich 1975

KRACHY

PG
5039.29
.V5
D4
1975

Šero se ptalo stínu:
« Onehdy ses pohyboval, dnes stojíš.
Seděl jsi,
dnes opět vstáváš.
Proč nemáš něco pevného a podle toho se neřídíš? »
Stín odpověděl:
« Držím se světa a jsem, co jsem... Jak mohu vědět,
proč nejsem, co nejsem? »

Čuang C'

DĚVČÁTKO S ČERVENOU MAŠLÍ

Dědeček byl v mých představách nezávislým a silným člověkem, protože chodil stále na procházky, vyžadoval hovězí polévky a měl psa Rolfa. Držel se zpříma a nosil pumpky. Aby podtrhl svou světovost, chlubíval se, že ještě v šedesáti vyskočil rovnýma nohama na stůl a hrál v Monte Carlu. Neříkal však, že přišel do herny v pumpkách, takže ho považovali za výstředního Američana. Měl v prádelníku schovány dva staré šestiranné kolty, s nimiž jsem tajně prožil veliká dobrodružství. Ale vrcholné city ve mně budil dědeček tím, že mne učil německy. Byl tak zdrojem čehosi tajemného, protože, kdykoli se stala významná věc, hovořili spolu rodiče německy. A dědeček mne nyní zasvěcoval do řeči plné tajemství, jež měla v sobě neobyčejné kouzlo, protože umožňovala proniknout do světa dospělých. První slova, kterým jsem se naučil, byly barvy a zvířata, gelb, rot, Hund, Ziege. Tato slova pak poletovala v mé hlavě jako malé dětské šperky a kdyby bylo možné schovat slovo, měl bych je dodnes v bílé baťovské krabici, kde jsem měl uloženy své největší dětské poklady, ložisko, cíněnku, podkováky, mikroskop, ztvrdlý kyt a šamotovou kliku od vany. Dával jsem pak pozor na označení barev a zvířat v německých rozhovorech, ale málo se vyskytovala. To mne zklamávalo a chodil jsem tedy častěji s dědečkem na procházku a ptal se na další slova. Ale všechna jsem si nemohl zapamatovat. Přišel jsem na spásnou myšlenku. Naučím se německé abecedě a slova budu překládat a tak se zmocním tajemství světa dospělých. Postupně jsem z dědečka vymámil všechny samohlásky. A se řeklo und, o über, i auch. Se souhláskami to bylo těžší, protože dědeček všechny neznal. Řekl sice, že k je německy zum, v in, ale když jsem se ho ptal na l a b, byl už nevrlý a řekl, že l je l a b je b. Měl jsem tedy malou zásobu německých hlásek, ale přesto jsem dobrodružně tvořil nová slova. Kolo se například v mé němčině řeklo zum-über-l-über. Bylo to fantasticky krásné a opakoval jsem si toto slovo, vyhrabávaje popel s uhlíky z kamen, což byla má oblíbená ranní hra. Uhlíky svítily, teta připravovala kávu, Milka zpívala a já jsem myslel na to, jak bude nádherné mít svůj zumüberlüber.

Nadšení nad slovy neznámé řeči jsem prožíval později znovu, když se učila sestra francouzsky. Matka opakovala se sestrou cvičení a já jsem číhal na jedinou větu: « Au rez-de-chaussée, il y a des fenêtres. » Měla na mne magický vliv. Nikdy jsem nevěřil, že jejím obsahem je triviální zjištění, že v přízemí jsou okna. Nevěřím tomu dodnes. V mé duši zněla tajemně jak dědečkova němčina. Měla v sobě ohromující dramatičnost, protože jsem myslel, že tam vystupuje nějaký *Ilja* a nějaký Redešos, a že *Ilja* udělal něco hrozného, což se vyjadřuje slovem defnetr. To bylo ještě horší nežli rozbít okno. Ó na začátku vyjadřovalo údiv nad strašlivostí Iljova činu. Ó Redešose, Ilja defnetr. Představoval jsem si, jak krásná princezna prosí o milost mocného Redešosa, aby ušetřil milovaného Ilju. Nebo jak poslové, chvějíce se strachem z popravy, oznamují králi Redešosovi hroznou zvěst. Ale to vlastně nemá co dělat s děvčátkem s červenou mašlí.

Když šel dědeček do pense, postavil si v Bruntále vilku. Přijeli jsme za ním, Rolf štěkal a skákal na mne, potom jsem dostal koblihu se šlehačkou a v pokoji s červenými plyšovými židlemi hrály hodiny zvonkovou hru. Spali jsme v podkroví, kde vrzaly postele a kde bylo množství starých krámů a plechovek s barvami, jež voněly fermeží. Bruntál, to bylo zázračné město, nejen dědečkovou vilkou, ale hlavně proto, že zde všichni mluvili německy. I já jsem teď mluvil německy. Chodil jsem naproti pro rohlíky — docela sám — a říkal: « Eine Krone Kipfel. » Usmíval jsem se vítězně na všechny lidi v krámě, kteří prý zase říkali: « Das ist das tschechische Schwein vom Herrn Inspektor. » U dědečka byla i jiná překvapení. Byla tu veliká zahrada, plno jahod, já jsem je směl zalévat a jíst. Mohl jsem též vylézat záchodovým oknem na verandu, hrát si s plechovkami od barvy, zalévat jahody a chodit s dědečkem na procházku.

Ale vrcholem všeho byla houpačka na dvorku. Mám málo pronikavějších a hlubších zážitků, nežli ten první u houpačky. Tam jsem prožil svou první velikou lásku, která trvala jen několik hodin, ale přece je nesmazatelně zapsána v mém srdci. Ráno jsem chodil tajně do zahrádky na jahody, protože neumytá jahoda byla daleko lepší nežli jahoda s cukrem. Skřípal po ní v zubech písek a babička se zlobila, když na to přišla. Pak jsem šel s jahodami na písek u houpačky. Vedle byl drátěný plot a dvorek druhé vilky. Nejkrásnější zážitek mého dětství je chvíle, kdy se tak objevilo děvčátko s červenou mašlí. Přestal jsem se houpat, šel jsem k drátěnému plotu, chytil jsem se za veliká zrezavělá oka a díval jsem se na ni s jahodou v puse. Byl bych jí velmi rád dal zbytek jahody, dokonce té nejlepší, na níž bylo nejvíc písku. Ale byla Němka a já znal jen zumüberlüber a Eine Krone Kipfel. Stáli jsme dlouho proti sobě a dívali se na sebe s prudkou zvědavostí, jaká je později možná jen v pubertě.

V tom okamžiku jsem děvčátko s červenou mašlí miloval jako maminku, jako procházku s dědečkem, výlet autem, kyblík nebo plechovky od barvy. Stál jsem u plotu a mlčel krásné vyznání.

Pak děvčátko někdo zavolal a také já jsem byl pokárán, že mám ruce od rezu. Druhý den jsme odjížděli a to bylo smutné, protože jsem musel nosit námořnické šaty a bílé rukavice, které se mi zdály tak škaredé. Šel jsem se rozloučit, držel jsem se plotu a díval se k

9

sousedům. Ale nikdo nepřišel. Zahoukalo auto a já jsem byl znovu kárán, že mám rukavice od rezu, protože jsem se chytil plotu, ačkoliv jsem to měl zakázáno. Plakal jsem a oni mysleli, že jsem dojat, že odjíždím od dědečka anebo protože jsem kárán pro zašpiněné rukavice. Věřím od té doby na lásku na první pohled, je neomylná a nikdy nezklame. Kdykoli jsem později poznal lásku, byla vždy spojena s pronikavým prožitím situace, určené pohledem. A je zvláštní, že vždycky má vše stejný průběh. Děvčátko s červenou mašlí vždy zavolá někdo jiný. Dnes je děvčátko bůhví kde, vilka zchátrala, dědeček zemřel. Jen rezavý plot visí stále mezi mnou a děvčátkem s červenou mašlí. Vždy mne od ní někdo odtrhne a vždycky mám ruce od rezu.

JAK JSEM NEBYL ZAVRAŽDĚN

V názvu povídky není sensacechtivost bulvárního tisku, ale prostá zvláštnost mého raného mládí, která tkví v tom, že jsem mohl být zavražděn, ale nebyl. Liším se tak od většiny ostatních lidí, kteří buď za vraždu ani nestojí, anebo naopak zavražděni byli, jak amatérskými vrahy, tak profesionály ve válkách. K tématu mne však nevede krvelačnost, ale prostá otázka, čemu vlastně vděčím za svůj život fyzický i duševní. Dospívám k závěru, že za svou existenci vděčím náhodě, že jsem nebyl zavražděn právě v době, kdy se začal rozvíjet můj život duševní. Za svou fyzickou existenci vděčím ovšem svým rodičům. Jako historik nemohu však mít důvěru k psaným listinám jako křestnímu listu, tím méně k rodinné kronice, která zkresluje skutečnost, když zaznamenává v lyrickém líčení okolnosti zrození. Z nich zvláště potěšující je zpráva, že sestra byla vzápětí po radostné události bita, chtějíc mne chovat, a že od dědečka jsem dostal zlatou rakouskou stokorunu s krásným nápisem Viribus unitis a obrazem císaře Františka Josefa. Kronika však nic neříká o tom, že dědeček ji jako státní úředník kdysi koupit musel, dokonce s albem habsburského dvora, z něhož jsem si později rád vystřihoval bradatého monarchu, kdežto pouhé arcivévody a knížata jsem přestřihoval v půli a kombinoval z nich další historické osoby. Choval jsem od té doby příchylnost k císařským rodům, protože arcivévoda Ferdinand, kombinovaný se spodní částí bohaté krinoliny císařovny matky byl nepřekonatelný a lituji dodnes, že Gavrilo Principe zničil horní část mé první koláže a způsobil tak světový konflikt.

Někteří lidé říkají, že za své intelektuální bytí vděčí knize nebo spisovateli. Duševní probuzení se děje zpravidla ve vyšších třídách gymnasia, a proto sklízejí vavříny duchovního probuzení profesoři českého jazyka, dějepisu, náboženství nebo filosofie; matematikáři nebo přírodovědci tuto úlohu snad nikdy nesehráli. V mém životě byl však zjev nevídaný v dějinách všech gymnasií na světě, neboť za svůj duševní i fysický život vděčím starému hluchému profesoru kreslení na rokycanském gymnasiu. Jmenoval se Leopold Richter, chodil o holi a vynikal tím, že přišel do třídy, uhodil holí do dlouhého kreslícího stolu, rozdal modely a usnul. Hodiny kreslení byly proto příjemným osvěžením. Vytáhli jsme sklápěcí desky kreslířských stolků a pak začaly bitvy papírkovými střelami, lezení pod stolky a jiná dobrodružství. Třída začala postupně lehce šumět a pak se hluk stupňoval, dokud nebyl tak silný, aby nezapůsobil i na hluchého Richtera. Konečně se probudil, praštil holí do stolní desky, až to v celé budově zadunělo a zařval: « Ticho, holomci. Zapíšu vás do třídní knihy. » Ale nezapsal, protože brzy zase usnul. To byla lepší alternativa, protože zůstal-li vzhůru, periodicky bouchal holí do stolu a křičel: « Ticho, holomci, » i když byl v posluchárně naprostý klid, což on sám ovšem nemohl vnímat.

Díky těmto hodinám kreslení dodnes nenakreslím jablko. Ve vyšších třídách jsem se vyhýbal tomuto nedostatku tak, že jsem vyměňoval s dobrými kreslíři dva jejich výkresy za jeden vlastní rys. Jen za papouška, nakresleného vodovými barvičkami a hrajícího bohatstvím tropů, a všemi možnostmi, jež dávaly barvy Štolo na školní paletě, za toho jsem musel dát rys vystříkaný. Vyplatilo se to, protože papoušek byl vystaven na chodbě jako vzorná práce. Později jsem přišel na to, že stačí použít starých výkresů mé sestry, jež dovedla kreslit, protože nebyla ovlivněna Richterem. Vymazal jsem z výkresů její jméno a odevzdával je znovu, což mi zaručovalo výbornou z kreslení ve všech pozdějších třídách. Jen v primě, kde jsem dělal výkresy sám, je zřejmá diskontinuita s pozdějším uměleckým vývojem. Když se máti přišla do gymnasia zeptat na prospěch, postihl naturalistické prvky mého výtvarného projevu sám Richter lakonickým výrokem: « Váš syn je prase. » Na vysvědčení mi dal dvojku, aby mi nekazil vyznamenání.

Jak se však stal tento podivínský stařec zachráncem mého života? Zde je třeba uvést na scénu jeho démonického protihráče, primána Kubečka. Ve třídě byli tři žáci podobného jména, jejichž abecední sled odpovídal i jejich tělesnému vzrůstu. První se jmenoval Kuba a byl veliký. Druhý se jmenoval Kubát, měl krásnou přezdívku Čubelín a byl střední postavy. Jeho otec měl obchod s jízdními koly a Kubát měl proto vždycky všelijaká kolečka, která jsme mu velmi záviděli. Kubeček byl nejmenší. Tuto harmonii velikosti postav a jmen jsem považoval za důkaz předzjednané harmonie boží dávno předtím, nežli jsem četl Leibnize. Kubeček byl z města Mýta, čili byl Mejťák a to stačilo k živelné klanové nenávisti. K Mejťákům jsem cítil idiosynkrasii od té doby, co mne jeden septimán z Mýta, který o hlavní přestávce udržoval pořádek na chodbě, předvedl za trest k panu řediteli. Udělal jsem na toho septimána neslušný posuněk, pleskl si do stehna a obrátil ruku. Nevím dodnes, co to má znamenat, ale ten dozírající septimán jako symbol autoritativního pořádku byl tak protivný, že jsem to tehdy udělat musel. Tak jsem se poprvé vzbouřil proti autoritě a byl potrestán předvedením do ředitelny, do té tajemné místnosti s minerály, vycpanou sovou a panem ředitelem. Pocítil jsem od té chvíle takovou nenávist k Mejťákům, proti níž je třídní nenávist citovou kratochvílí.

Někdy v tuto dobu se v hájovně u lesa stala vražda. Nějaký člověk zabil svou ženu, která mu vyčítala jakési pletky a nadávala mu termínem, jehož literární přepis je divoký vepř. Nechápal jsem tehdy širší souvislosti, ale byl jsem doma upozorněn, že «divoký vepř» je velmi škaredá nadávka. Podstata vraždy mi však připadala prostá. Jestliže jsme my po sobě házeli kamením za nadávky přírodopisné jako: ty sovo pálená, ty pštrose australský, proč by se neměli dospělí zabíjet za nadávky dospělých? To bylo přece úplně v mezích cti, jak jsem ji chápal pod vlivem Vinetoua a Pobožného střelce, této četby, podporující smysl pro čest. Jednou z příčin úpadku dnešní mládeže je právě to, že pionýři čtou Jiráska a ne Pobožného střelce. Nedovedu si představit, jak z nich mohou vyrůst celí muži se smyslem pro čest. Viděli jste už kluka, který by si hrál na Talafúse, Jana Jiskru z Brandýsa nebo na Skaláky? Ale hrát si na Vinetoua, to je jiné. My jsme chtěli všichni být jen jím a rval jsem se o čest být Vinetouem, nespokojen s druhým místem Old Shatterhanda. Nikdy jsme se nemohli dohodnout o rozdělení funkcí, s výjimkou sestry, která byla Nšo-Či, protože to nebylo problematické. Ovlivněn hodnotovou stupnicí ušlechtilých Indiánů, domníval jsem se, že zabít člověka za nadávku je správné, protože Vinetou by nejednal jinak.

V hodinách kreslení Kubeček seděl přede mnou a byl tedy nejvhodnějším objektem pro papírové střely. Jaká rozkoš střelit ho do ucha a bránit se pak jeho protiútoku skryt za modelem krychle. Jenže jednou se Kubečkovi přetrhla gumička na střílení a začal se bránit neobvyklým způsobem. Zasypán přívalem papírových střel, vlezl pod lavici a energicky mne kopl do holeně. Sketa. V záchvatu bolesti a vzteku nad jeho podlým jednáním jsem nedokázal přijít na nic vhodnějšího, nežli že jsem vykřikl vražednickou nadávku. Pak jsem očekával bez dechu vražedný útok Kubečka. Jenže můj výkřik byl právě vyvrcholením rámusu ve třídě a vedl k nečekanému zvratu — k Richterově probuzení. A tak do stavu napjatého očekávání příprav k vraždě příložníkem zahřměl jako výstřel z děla úder Richterovy hole a jeho nezbytné: « Ticho, holomci! » To byl signál k okamžitému příměří. Tak mne Richter zachránil, že jsem nebyl tak mlád zavražděn Kubečkem, a já mu za to dojat děkuji. Kubeček vylezl zpod lavice a pomstil se mi jen lístkem, v němž mi sděloval, že jsem neosolená nudle. Shlížel jsem s pohrdáním na tuto pomstu za mordýřskou nadávku a ignoroval jsem ho od té doby s vědomím, že je to bezectný Mejťák.

Konflikt s Kubečkem měl nečekané následky — první lásku. Až do té doby jsem cítil hlubokou náklonnost pouze k Tarzanovi. V biografu jsem viděl jeho skvělé hrdinské činy. Bojoval s krokodýly, kolil zvěř, kamarádil se s opicemi a co nejkrásnějšího, zachránil krásnou blondýnu z rukou nepřátel. Tarzan zastiňoval i Vinetoua, protože dovedl skákat z liany na lianu, nosil leopardí kůži a měl pistoli, s níž chodil jako vládce pralesa po svých lovištích. Být Tarzanem byl můj první jasný životní cíl, jenž byl smrtelně vážně pojat. A protože jsem byl hochem činu, pokládal jsem za nejdůležitější opatřit si pistoli, leopardí kůži a odjet do Afriky. Vytrhl jsem z atlasu mapu tohoto kontinentu a opájel se jmény Habeš, Zlaté pobřeží, Cape-town /čti kapetown/. Neuvažoval jsem, co tomu řekne mocný Inču-čuna, totiž otec, ani Nšo-Či, sestra, která jistě bude lkát, o máti ani nemluvě.

Mapu a plán cesty nitrem Afriky jsem měl. I s pistolí to bylo lehké. Dostal jsem malou vzduchovou pistoli za vysvědčení. Okamžitě jsem ji vyzkoušel na dveřích koupelny, které jsou dodnes prostřílené, protože jsem si z nich udělal terč. Když odprýskával lak, pověsil jsem si na dveře perský koberec, protože ten se sice prostřelil také, ale nebylo to na něm poznat. Nepoznalo se to dodnes, kdežto za odprýskaný lak jsem byl kárán týž den, zásluhou bdělosti Inču-čuny. Pistole však nebyla zdaleka to hlavní. Ve filmu « Tarzan mezi opicemi » byl můj hrdina ozbrojen pouhým nožem. Nejdůležitější na Tarzanovi byla jistě leopardí kůže. A tu jsem neměl. Jak ji získat a naplnit tak svůj životní smysl? To byla mučivá otázka od chvíle, kdy jsem viděl na plátně skutečného Tarzana, a natrápila se mne daleko více, než základní otázka filosofie, která se mi proti tomuto problému zdá nehorázně nudnou. Leopardí kůže, leopardí kůže, nebo můj život nemá budoucnost, nemohu žít bez leopardí kůže.

« Silní lidé nečekají na příležitost, vytvářejí si ji, » četl jsem tehdy v příručce, která radila, jak úspěšně žít a dobýt si osobní úspěch, peníze, štěstí, lásku, a to vše podle osvědčeného návodu. Nečekat na příležitost — jednat. Zvláště když mi náhoda tak krásně vycházela vstříc. Sestra šla na podzim do tanečních a dostala kožešinový pléd. Bylo to proti běžným zvyklostem, protože kdykoli jsme něco dostávali, dostávali jsme to společně, jako kanoe nebo stan. Protestoval jsem proti tomuto porušování tradice a zdálo se mi nepochopitelné, jak mohou lidé plýtvat penězi na pošetilé plédy do tanečních, když já potřebuji kožešinové plavky. Když ona dostala pléd, musím já dostat leopardí kůži jako Tarzan. Kde je spravedlnost, nedostanu-li leopardí kůži? Ustoupil jsem z požadavku, že kůže musí být leopardí a byl jsem ochoten spokojit se s jakýmikoliv kožešinovými plavkami, ovšem alespoň s jedním pruhem, táhnoucím se přes rameno. Rodiče se mi velmi smáli, ale já jsem trval neústupně na svém. Nevěřil jsem, že by kožešinová kůže ztvrdla, kdyby se ponořila do vody a pokládal jsem to za bídnou výmluvu bílých tváří. Leopardí kůži nebo život! Když jsem byl sám doma, provedl jsem generální zkoušku se sestřiným plédem. Byl stejně jakoby napůl můj. Opásal jsem si boky kožešinou a kymácivým krokem jsem se ubíral do ložnice před zrcadlo. Nebyl jsem tak hrozný jako Tarzan, ale jistě dorostu. Pak jsem skákal po divaně a bojoval s tygry, střílel do koberců a polštářů a nakonec jsem se rozhodl vyzkoušet odolnost plédu proti vodě. Ponořil jsem se v koupelně jen docela maličko, aby nikdo nic nepoznal, ale brzy se ukázalo, že rodiče měli ohledně ztvrdnutí kůže pravdu. Sestra brečela, protože měla právě prodlouženou taneční hodinu. Ach, ženy. Udělala by to ona vyzývavá blondýna, již Tarzan zachránil? Jistě ne. Ale cožpak by byl Tarzan zachraňoval moji sestru? Rozhodl jsem se v případě nutnosti postupovat sám ve jménu spravedlnosti, uříznout polovinu plédu a odjet.

Jediné, co mi nyní chybělo, byla krásná blondýna. Nove možnosti nastaly počátkem školního roku, vstupem do tercie. V primě a v sekundě byli ve třídě samí kluci, ale v tercii jsem se dostal do třídy, kde byla většina holek a kluků jen deset. To bylo nadělení. Museli jsme si vypůjčovat pro fotbalové utkání levou spojku ze sekundy, abychom byli vůbec bojeschopní. Tarzan se octl mezi opicemi. Přesvědčení, že jsem ztracen v opičím-holčičím pralese rozptyloval jen Harry Weiskopf, který seděl vedle mne, byl výborný brankář a hned v prvním měsíci dostal tři sardele. Obdivoval jsem ho. On ke mně pocítil náklonnost proto, že jsem mu půjčil knihu ukradenou z otcovy knihovny. Na obálce byl špatný barvotiskový akt vedle svůdného titulu « TŘICET KRÁS ŽENY ». Mimochodem, bylo tam zbytečně mnoho lyriky a dával jsem v té věci přednost stručné a věcné lékařské encyklopedii, zvláště příručkám s obrázky, které se mi dostaly o prázdninách do rukou v rodině lékaře. Konkrétní biologické znalosti, pramenící z lékařské encyklopedie, mi získaly takovou intelektuální převahu ve třídě, že jsem se právě pro ně stal uznávanou duchovní hlavou klukovské menšiny. To bylo též jediné období, ve kterém jsem naplňoval ideál řecké kalokagathie, protože jsem zároveň hrál ve středu útoku a dal rozhodující branku proti tercii B.

Z holek ve třídě jsem bral na vědomí jen blondýny. Byly tu tři. Erika, kterou jsem však vyloučil, protože nesplňovala podmínky Tarzanova ideálu. Nebyla to nyvě snící, bezbranná dívka, ale holka, která se prala s kluky a dovedla nadávat skoro tak sprostě jako Harry. Druhá blondýna byla Beranová Miloslava, která seděla v první lavici, avšak nevěděl jsem, zda by opětovala mé city. Díval jsem se na ni obdivně v hodinách náboženství, kdy jsem mohl dlouze snít o Africe při výkladu starozákonních příběhů. Hodiny náboženství byly zvlášť půvabné, protože Erika si vymýšlela na katechetu podivné otázky. Chtěla, aby jí objasnil obsah šestého přikázání. Mladý katecheta v rozpacích vysvětloval, že ve staré češtině smilniti znamená totéž co nečistým býti, ale Erika trvala na moderním významu slova, žádala konkretizaci a ptala se, jestli se tedy může říci, že smilnila se sešitem, když udělala kaňku. A vůbec chce vědět, jak se smilní. Všichni se řehtali, katecheta honem vykládal o Izákovi a Stravová Marie, třetí blondýnka, začala dělat na katechetu oči. Schválně se opřela hodně dozadu o lavici, aby vyniklo její poprsí. Mimochodem, Haryk zjistil, že si vycpávala podprsenku kapesníky a Harykovi bylo možné věřit, protože v tom projevoval prvotřídní odvahu a obratnost. Vsadil se dokonce, že vytrhne z chlupatého svetru třídní krasavice několik chlupů na místě, kde se rýsovala něžná křivka. A také to provedl, panečku. Takoví muži se již nerodí.

Z blondýn, přicházejících v úvahu pro africké dobrodružství, zbývala tedy Beranová Miloslava, protože přílišná koketerie Marie Stravové s katechetou a ty kapesníky nebyly zárukou dostatečné oddanosti k Tarzanovi. Vytrvalá pozornost, kterou jsem věnoval Beranové Miloslavě, způsobila však tragické nedorozumění. Jednoho dne jsem zažil pronikavé milostné vzrušení, když jsem ráno v lavici objevil lístek, vytržený ze sešitu, na němž bylo napsáno toto:

DRAHÝ!!!!!?????
Amaris puellis!!!
Places!!!

Láska hóří!!!
X.Y.-N.N.
I S !!!
N T Z R
Dopisy pod koš!
Cur non?
Odepiš.

Drahý s šesti vykřičníky a pěti otazníky, nezahalené vyznání, srdce s mými iniciálami a třemi vykřičníky, to je jistě láska. Střídání latiny a češtiny jsem považoval za zvlášt efektní a citová prudkost, vyjádřená šestnácti vykřičníky v krátkém sdělení mi připadala hodna hrdinského činu Tarzanova. Snil jsem ten večer o krásné blondýně, jež mi nechávala v pralese ve školní lavici latinsky napsané lístky, jak pro ni plavu řekou plnou krokodýlů, abych jí mohl dát dopis pod koš. Přes spaním jsem se pomodlil dva otčenáše za zdar výpravy. Tehdy jsem snad poprvé něco zamlčel mamince, když přišla na dobrou noc posedět na pelesti postele.

Druhý den se stal milostný problém tak mučivý, že jsem se svěřil spolužáku Kolafovi. Měl jsem k němu důvěru, protože měli doma uzenářství a on mi dával kousnout tlačenky, když jsem mu napovídal skloňování schola, scholae, scholae, scholam, schola, schola. Kolafa však neměl pochopení pro lyriku a řekl: « No, maucta, ty vole, to jsem nevěděl, že seš takovej vůl. » A s pravou řeznickou rozhodností napsal mým jménem hrubý lístek a dal jej pod koš. Považoval city za jakési podivné uzeniny a byl proto později v životě velmi úspěšný. Nelze dnes zjistit, co na Kolafově lístku stálo, ale druhý den byl v lavici lístek tohoto znění: „Viděla jsem Kolafu, jak dal dopis pod koš. Odepiš jistě, ale ne tak hrubě.

Moje láska Tvoje láska
obě stejné jsou,
snad si srdce k srdci

najde cestu svou.
Ta má láska
než Tvá láska
nevypadá líp
Ty máš rád mne /SNAD!/
já Tebe též a v tom je všechen vtip!!!

Chceš-li vědět, kdo Ti ten dopis píše, přijdi dnes, ve čtvrtek 22.IX.1938 v 5 hodin ke Starému výstavišti."

Byl jsem překvapen, že po hrubosti z mužovy strany následuje poesie se strany ženy, ale byl jsem ještě příliš nezkušený, než abych v tom mohl hledat psychologickou zákonitost. Byl bych rád odpověděl odvážněji, sám, ale bál jsem se, že to třeba není poselství od některé blondýny, že je to past, nalíčená na mne Harykem Weiskopfem. Haryk měl zlost, že jsem dal Kolafovi dřív opsat latinskou kónu, takže on to nestačil dopsat a napsal in partes infidelum místo in partibus infidelium. Latinář říkal: « Weiskopfe, vždyť je to výraz ohmataný jako stará onuce, to zná každá svíčková bába, jen vy ne. » A dal mu čtvrtou sardel. Cítil jsem v lístku lest, ale přece jen jsem se rozhodl na schůzku jít. Dopis mi ležel v hlavě. V hodině náboženství jsem snil o tom, jak zachraňuji záhadnou krásku, hovořící lámanou latinou, jak se spustím na liáně a skočím na katedru, rovnou proti fyzikářce. Uloupím třídní knihu a s děsivým chechtotem ji zapálím, až si přečtu poslední podlý čin fyzikářky, zápis v třídní knize: « Sviták se houpe během vyučování na liánách. » Na to mi budou všichni holdovat a Haryk řekne slova nejvyššího uznání: « Ty seš dobrej, to ti řeknu, ty seš dobrej. » A Kolafa mi dá věnec buřtů, Stravová Marie na mne bude dělat oči a to ostatní jako na katechetu, ale já jako nic a budu Beranovou Miloslavu držet v náručí a ona bude štkát na mém rameni. Ten den jsem byl tak napjatý a roztržitý, že jsem se ani netrefil při střelbě namočenou houbou do třídnice a div jsem nerozbil Wimshurstovu třecí elektriku, když jsem ji nesl z kabinetu na fizuli. Jenže ten čtvrtek se mi nehodil, protože vždycky ve čtvrtek jsme hráli fotbal. Sdílel jsem tehdy přesvědčení, k němuž nyní zvolna opět dospívám, že fotbal je důležitější než erotika, a nemohl jsem proto dát přednost lásce před kopanou. Tím spíše, že ve čtvrtek šlo o mnoho. Vsadil jsem se s Harykem, že mu dám gól.

« Ty kecko, Tobě chytím všechno i vo půlnoci, » řekl Haryk.

« Vsaď se. »

« O co chceš. »

« O merunu. » Haryk měl nový míč a trochu se zarazil. « A co dáš ty?? »

« Pistoli, » vyhrkl jsem neprozřetelně, ale to byla jediná možná protihodnota a už jsem to nemohl vzít zpátky. « Dobrý, » řekl Haryk. Ztratím-li pistoli, ztratím i záhadnou blondýnu. Vždyť jsem správně tušil, že bezbranný muž je ženě k smíchu. Co také může žena na muži milovat než pistoli, nůž nebo leopardí plavky? Fotbalovým zápasem tedy zároveň bojuji o svou blondýnu. Je to hra va banque. Jenže rány osudu přicházejí vždy odtud, odkud je nečekáme. Čtvrteční zápas měl nečekaný průběh. Haryk chytal jako ďábel a dokonce mi chytil desítku. Vysvětloval jsem to tím, že mne zmasil Weber, ale nebyla to pravda, ani se to umělým kulháním nedalo zastřít, protože jsem kulhal jen bez míče a ještě na různou nohu. Skončili jsme jedna jedna a rozhodnutí mělo padnout v nastaveném čase. Podnikl jsem útok s Kolafou na Harykovu svatyni a jedinečným driblingem jsem vsítil vedoucí branku. Okamžitě jsem pocítil nejvyšší vzrušení. Se vstřelenou brankou se otvíralo dobrodružství na Starém výstavišti. Nechal jsem hry a utíkal z Letné ke Stromovce. Jenže jsem přišel o hodinu později a osud Tarzana byl rozhodnut. Zhrzená milovnice šla na zmrzlinu a tam mi napsala poslední dopis na rozloučenou:

« Tvoje jednání docela schvaluji. Kdybys měl brát ohled na všechny dívky z naší třídy, které jsou do Tebe zamilovány, bylo by Ti z toho šófl. /Je vulgární,

ale má pravdu, myslel jsem si, cožpak je možné nemilovat Tarzana?/ Věř, že jsi byl první a jsi také poslední, který mi padl do oka. Avšak můžeme i nadále zůstati sobě věrnými kamarády. Za svůj cit nemohu, to jistě uznáš. Budu se však snažiti hleděti na Tebe jinýma očima, očima kamarádky a ne jako na svůj ideál. S milými vzpomínkami na první svoji lásku Věra Halásková.
Douška. Nedávej to prosím Tě nikomu číst. Jsi-li čestný, jistě to schováš pro sebe.»

Čestný nejsem, protože po dvaceti letech prozrazuji na Věru Haláskovou takové věci. Ale dodnes tak činím s pocitem oprávnění, protože tento dopis rozdrtil můj sen o Tarzanovi. Přinesl mi totiž kruté zklamání. Vždyť Věra Halásková vůbec nebyla blondýna, seděla vedle Beranové Miloslavy a přisvojila si snivé pohledy, jež jí vůbec nepatřily. Kromě toho si pletla Kamerun s Kamčatkou a s takovou ženskou přece nelze jít na cesty. Dáme si schůzku u Viktoriiných vodopádů a ona bude čekat u Niagary. A není blondýnka. Tarzan nesnese nějakou mesalianci s Věrou Haláskovou, to raději nic. Odvrátil jsem se s opovržením od této rašící lásky, a asi jsem už neodpověděl, protože korespondence na papírcích ze sešitu končí tímto posledním listem: «Svituáku, Věře nejde do hlavy, že o ni nemáš zájem, a pořád koukáš na ni do lavice. Kdyby si toho nevšimla, tak by prý se do tebe nezakoukala. Vysvětli, proč ses na ni koukal! A napiš jí něco pro útěchu, ona je hrozně zklamaná. A vysvětli, proč ses na ni koukal! Odepiš. Naposledy. Beranová.»

Pisatelka vůbec nepochopila irracionalitu v lásce, chtějíc znát důvody. Cožpak jsem jí mohl říci, že Tarzan myslel jen a jen na ni? Nevysvětloval jsem nic. Přesvědčil jsem se, že se ženskými nic není a vlastně jsem teď daleko hůř chápal Tarzana, který přece mohl skákat po liánách i bez blondýny a koupat se s krokodýly a vůbec. Nejméně týden jsem cítil opovržení ke všem holkám bez výjimky, dokud mne Miloslava Beranová nepozvala na výlet na kole. Ale odnesl jsem si z toho konfliktu cenné poučení. Předně jsem poznal nestálost milostných citů a sblížil jsem se raději znovu s Harykem, i když mi tu mičudu nedal. Podplatil totiž polovinu mužstva, aby odpřisáhla, že branka byla z ofsajdu. Slíbil klukům, že jim dá přečíst Rytíře Smila a kluci mne zradili. Kdybych nebyl odešel, byl bych jim slíbil Cyranovský trialog a oni by odpřisáhli, že z ofsajdu nebyla. Dodnes bych měl Harykovi za zlé, že mi tu branku upřel, kdyby nebyl za rok potom šel do plynu. A přece, byl dobrej, to si pište, že byl dobrej kluk. Ale ta branka byla přece jen v pořádku, na mou duši, nebyla z ofsajdu. Usmířil jsem se s Harykem a šel jsem s ním večer na pouť. Zavedl jsem ho do Začarované studně, kde tančila tlustá polonahá žena v děravém prádle. Bylo to velmi krásné. Haryk mne vzal do boudy, kde ukazovali hermafrodita, « jedna polovina těla chlupatá, mužná, svalnatá, druhá polovina ženská, oblá, div přírody, na který se jezdí dívat až profesoři z Chicaga ». Haryk byl dobrej kluk.

Tarzanem jsem se tedy nestal a nesplnil jsem první vážně míněný životní cíl. Nesvaluji vinu na odcizení, vyplývající z kapitalistického výrobního procesu, ani nepovažuji celou věc za osudovou existenciální frustraci, ale činím odpovědnou jen a jen Věru Haláskovou. A jak už to bývá, ženouce se za jedněmi věcmi, dosahujeme nechtě jiných. Neúspěch vedl k útoku na knihovny, v němž vzal za své můj první rozumný životní cíl — být Tarzanem — a byl nahrazen daleko úpadkovějším a zbytečnějším — naučit se myslet.

J E L E N A

U dozorčího stolku v druhém patře gymnasia seděly dvě terciánky a držely hlídku. Zapisovaly do linkovaného sešitu, kdo jde při vyučování nahoru a dolů a trochu se nudily, protože nikdo nešel. Kdyby byl alespoň vyhlášen poplach. Když zahoukala siréna, měly nařízeno vzít tlumnice a odvést třídy do sklepa podle pokynů profesorů. Byla při tom švanda a ulily se z vyučování. Teď se tu jen nudily. V druhém patře byla sice jedna klukovská sexta, ale sextáni byli náfukové a terciánky u dozorčího stolku je nezajímaly. Odzvonila hlavní přestávka a do jedné měly ještě francouzštinu a zeměpis.

Jelena psala cvičení z češtiny na téma « Jaro ». /Líčení./ Moc jí to nešlo, nemohla se dostat přes první větu. « Na jaře mám nejraději tání. » Okousávala konec násadky a čmárala na lavici, ale nepomohlo to. Nebude přece psát o tom, že se na jaře hrají kuličky, nebo takové hlouposti, že kvetou stromy. Na to je už moc velká. Psala by raději, že se těší, až bude hrát tenis, ale to zase nebylo lyrické a češtinářka jim dala úkol právě proto, aby se naučily rozlišovat mezi líčením a vyprávěním. Prý mají popsat zážitky z jarní přírody. Ale na zahradě nic nekvetlo a tenisový kurt byl pustý.

« Evo, měla jsi nějaký jarní zážitek?, » zeptala se Jelena.

« To se ví, dala jsem Ivanovi facku. Chtěl mě políbit. » Bylo to opravdu tak. Ten sextán si o sobě moc myslel a vsadil se, že ji políbí na ulici, až půjdou ze školy. Evě se líbil. Ve fotbalové jedenáctce hrál středního útočníka, dal proti septimě dva góly, byl primus a psal verše. Nejmocněji přitahoval tím, že přečetl knihovnu rodičů a mluvil o věcech, které nikdo neznal: o Halasovi, osudu, Bohu a ideální lásce, psal surrealistické texty a občas prohodil nějakou nehoráznost o ženách, kterou tentýž den přečetl v Schopenhauerovi. Terciánka se přece musí zamilovat do sextána, jenž přichází na schůzku a říká: « Jdeš-li k ženě, nezapomeň na bič. » A používal cizích slov, věděl co kdo řekl o různých věcech a měl tlustou knihu výpisků z četby, do níž si zapisoval abecedně výroky, jež ho zaujaly. Bylo tam možno najít Baťu vedle Bakunina a Baudelairea vedle Buddhy. Kromě těchto literárních sklonů ho činila populárním hra na basu ve školním orchestru. Hráli jen nudnou klasiku, z níž si pamatoval jen své sólo z nějaké nudné symfonie, sólo po výstupu sboru, jenž zpíval: « Duchu nebeských těch harmonií, které slýchal Plato ve svých snech. » Co je to za pitomost, myslel si vždycky, a pak zahrál dva takty svého sóla. Neuznával symfonie, nedaly se srovnat s možnostmi, jež dával base dixieland, Gerschwin nebo sóla pro basu a buben. To bylo něco. Když zahrál sólo z Vinetky před školou nebo o přestávce na chodbě, byly z toho vedle i oktavánky. Erotické možnosti symfonie byly proti jazzu ubohé.

Teď šel do ředitelny pro sešity a zastavil se u služby. « Ahoj, píšeme kónu z frániny, » řekl s předstíraným klidem Evě, ačkoli si nebyl jist, zda mu vyjde tahák. Když šel do schodů, všiml si poprvé holky vedle Evy. Kdo je ta terciánka v sukni se skotským vzorem a se žlutou blůzičkou? Skotská sukně měla dva úzké pruhy s podélným pruhem na prsou. Bylo to ušité pro dvanáctileté děvče, ale u terciánky pruh nějak překážel, alespoň pohledu na ňadra. Při tom na té terciánce skoro nic nebylo, měla pihy kolem očí a trochu příliš vystupující tváře, než aby splňovala nějaký klasický ideál. Ale bylo v ní něco feudálně krásného, kultivovaného, nemoderního. Takové divné oči ještě neviděl.

« To je Ivan, » řekla Eva, když odešel.

« Ujde, » odpověděla bez zájmu Jelena a psala další větu: « Na jaře mám nejraději tání. Roztává sníh, všude je plno vody a Vltava stoupá. Chodím k řece a těším se, že najdu první blatouch nebo sněženku. »

« Nech to, napíšeš to doma, dnes přece není rytmika, » naléhala Eva, protože se chtěla bavit.

« Tak něco povídej. Třeba ten jarní zážitek. » Jelena sklapla sešit, dala s gestem z rytmiky ruce pod bradu a poslouchala, jak to bylo.

Poznali se na odpoledním kursu angličtiny. Eva měla pověst velice hrdé a nepřístupné holky, protože když chodili bruslit v neděli na staďák, nejezdila nikdy s kluky. Když s ní chtěl někdo jezdit, řekla: « Odprejskni emajle. » Prosím, to tedy všechna čest stranou, když holka dovede říct odprejskni emajle, tak to má právo na to, aby ji neobtěžovali. Když přišel Ivan poprvé do kursu angličtiny, uviděl tu známou holku, která na něj dělala oči, když hrál před školou sólo z Vinetky, šel k ní a řekl: « Ahoj, ty jsi z naší boudy, z kvarty, ne? » Pak si k ní sedl do lavice a dal jí číst pasáž ze Zarathustry. Eva byla polichocena, že ji o třídu povýšil, a že ji zasvěcuje do Nietzscheovy filosofie. Opravdu, byla přece už velmi vyspělá. Ale Ivanovi se v kursu líbila dvacetiletá učitelka Barbora a protože se před ní chtěl ukázat, učil se v elektrice nepravidelná slovesa a četl Wildeovy povídky anglicky, aby si rozšířil slovní zásobu. Pak chodil místo Barbory starý profesor. Hodiny angličtiny se staly nudnými a tak Ivan načmáral jednou do Evina textbooku větu: « Pojd se mnou v neděli bruslit na staďák. » Na volných stránkách příručky « A Short History of English Literature » byla tak zahájena korespondence, která pokračovala až do kapitoly « Elizabethean Drama ». Těsně před Shakespearem oba přišli na to, že je daleko zajímavější jít místo kursu do kina. Na dvaceti stránkách textbooku se odvíjel dramatický děj, začínající uvedenou větou, děj, z něhož je možno rekonstruovat celý příběh, jak to dělají egyptologové z nalezených fragmentů papyrů. « Nemůžu, musím za babičkou do nemocnice. Jak je past tense od teach? » « Teach, taught, taught. Přijď potom. » « Možná. » « A budeš se mnou jezdit, když možná přijdeš? » « Možná. » Tento zápis je velikým historickým dokumentem Evina vítězství a pokračuje pak ve stupňujícím se tónu, až po několika stránkách rozpaků vedle středověké anglosaské literatury nacházíme na počátku XIII. století zápis « I love you » vedle zápisu « I you too », což je mužskou rukou přetrženo a opraveno na « So do I ». Pak zápisy končí, protože lekce angličtiny pokračovaly v kinu Metro, kde jsou hluboké lóže. Bylo to půvabné, chodili se líbat do kina. Eva to uměla. Ivan byl zvyklý na polibky z mejdanů a her o fanty, ale toto nezažil. Vycházelo v tom slunce, bylo to magické.

Kupoval čtyři lístky, ačkoli na to musel krvavě doplácet. Ale co se dalo dělat, když lóže se staví pro čtyři a ne pro dva. Jako by lidem, chodícím do lóže, šlo o to, dívat se na film. To je ale pitomost, stavět lóže pro čtyři. Drželi se za ruce a dívali se na žurnál, potom ji hladil po vlasech a pak začaly nekonečné polibky. Chvílemi se dívali na plátno. Položila si mu hlavu na rameno a on ji objal oběma rukama, aby cítil křivky ňader na obou zápěstích. Když byl milý, mohl jí lehce hladit ňadra. Eva se na něho dívala z temna lóže, on se díval na ni a bylo to fantastické, ryzí a vždycky se mu chtělo hrozně plakat nebo co. Jednou byl dokonce mimořádně smělý, protože měl narozeniny. Držel její ňadra v dlaních a cítil jak jí skrze jemnou plet rychle bije srdce. Oba se toho nějak zalekli a už to nikdy neopakovali. Tehdy jí poslal velkou kytici narcisů. Dal za ně všechno, co dostal k narozeninám. Když šli z kina domů, toulali se po Ungeltu, ukazovali si domovní znamení, renesanční loggie a mluvili o knihách. Když jí u Jakuba ukazoval ten pahýl lidské ruky a vyprávěl legendu, jak Panna Marie chytila zloděje, cítil jak jí voní vlasy a chtěl ji líbat. Ale byli tam lidé, tak šli do ochozu a na schodiště na kazatelnu, až je vyhnal kostelník. O prázdninách jí psal dlouhé dopisy o osudu, křesťanství a ideální lásce, v nichž vůbec o nic nešlo, ale které byly nesmírně významné. Ona mu poslala fotografii s dopisem, že milovat lze jen jednou.

Ivan odešel do třídy, rozdal sešity a začal smolit překlad « Les cinque sens ». Ale ta holka v kostkované sukni u dozorčího stolku mu ležela v hlavě, i ve všech smyslech. Napsal perfektum od dire il disa místo il dit, což byl důkaz šestého smyslu-lásky. Vynesl mu trojku z kóny. Tentýž den ji viděl znovu, když jel ze školy tramvají. Stála na plošině, měla modrý kabát s trochu odřenou kožišinou a malou hnědou čepičku s anténou. Dělal, jako že čte Wildea, ale doopravdy se na ni díval skrze spojovací dveře a chtěl se přesvědčit, že na ní vůbec nic není. Vsadil by se, že ji ještě ani nikdo nepolíbil. Na náměstí vystoupila z elektriky. Vystoupil za ní a díval se, kam jde. Ohlédla se a trochu se usmála. Nebo ne? Odpoledne má stejně rande s Evou. Zapomněl na to.

Za týden pořádala sexta B pingpongový přebor třídy. Hrálo se u Honzy, na střeše moderního skleněného domu. « Vyjeď nahoru výtahem do šestého patra, schodiště B a tam nás uvidíš, » řekl Honza. Vyjel výtahem nahoru a otevřel dveře na terasu. Ale místo spolužáků se tam slunila na lehátku v dubnovém slunci ta pihovatá holka z elektriky. Byla přikrytá plédem, četla, a bůhví proč, měla vedle sebe na zábradlí veliký starodávný budík. Byla to surrealistická nádhera. Díval se na ni dlouho skleněnými dveřmi a jako by ztrácel sebe, svou jistotu. Bylo to opět cosi neznámého, asi jako když se líbal s Evou v kině, ale něco prudšího a hlubšího, co v něm naráz vyvolávalo pocit vlastního bytí, zmatený pocit, jenž nebyl provázen štěstím, a přece byl daleko ostřejší nežli proud něhy, který ho zachvacoval v kině. Když otevřel dveře, zaskřípalo to, dívka sňala zelené brýle a podívala se na příchozího.

« Ahoj, » zabručel, « sim tě, nehraje se tu někde pinčes? »

« To musíš ještě o patro výš, po schodech na horní terasu. »

« Díky. » A šel. Proč tam nezůstal, proč jí něco neřekl, mohli se seznámit, určitě by naletěla na některý trik. Ale nešlo to, před ní to nešlo, ztrácel před ní tu masku lehkého cynismu, tak průhledně vyčtenou z Wildea a Schopenhauera. Co to bylo? Před ní byl prostě vedle.

Nahoře hráli semifinálové zápasy. Bude hrát s Karlem a vyhraje-li, utká se o první místo s vítězem druhého semifinále, o malý pohár, který stál na židli, krásně se leskl a na němž bylo vyryto: « VÍTĚZI PŘEBORU VI.B. ». Zatím šel za Honzou.

« Honzo, kdo je ta holka, co sedí dole na terase a sluní se? »

« To je moje ségra, odpověděl Honza, co má bejt? »

27

« Nic. Jak se jmenuje? »

« Jelena. »

« Co je to za jméno? »

« To si vymyslel dědeček, má to z Turgeněva. Ale nic s ní není. Pojď se podívat na Evelynu, to je něco. Byl jsem s ní v garáži. Takovýhle. »

Oba lehce vyhráli v semifinále. Pak přišlo finále na tři vítězné sety. První set vyhrál Honza, druhý a třetí Ivan, čtvrtý Honza a v pátém se muselo rozhodnout. Bylo to napínavé. Když Honza vyhrál čtvrtý set a střídali strany, přišla nahoru i Honzova matka s tou holkou s terasy. Teď musí vyhrát, musí, musí. Když v polovině setu střídali strany, Honza vedl 11:9, ale Ivan měl servis. Vyhrál čtyři míče, další čenž byl 18:17 pro něj. Když to vyhraju, vyhraju ji. 19:19. Honza opatrně a takticky pinkal. Ivan riskl prudký smeč a vedl. Měl mečból, ale zkazil servis. Vlna zklamání, Evelyna vypískla. 20:20. « Ivane, psychologicky jsi prohrál, » řekl Honza. Nervózně pinkal i o druhý mečból. Krátký bekhend za síť, Honza ho nevybral. Ivan dal dlouhý ostrý servis na Honzův bekhend, Honza vrátil příliš velkým obloukem, smeč a konec. Honza byl otrávený, ale potom rozdělili ceny, Honza dostal plaketu jako druhou cenu a už ho ta porážka tolik nemrzela, protože šel stejně večer s Evelynou do garáže.

Šli potom dolů k Honzovi umluvit se na prvním čísle třídního časopisu a rozdělit si rubriky. Dostali kávu a Honza předsedal redakční schůzi. U empirového stolku se sklopným zrcadlem seděla Jelena a psala úkol « Les trois filous ». Ivan se díval do zrcadla a viděl, jak píše a hledá francouzská slovíčka. Kluci se přeli o obsah rubrik. Když se Jelena podívala do zrcadla, viděla je všechny, skloněné za stolem. Listovala ve slovníku a občas se dívala na kluky. Teď se podívala na Ivana. Zachytil její oči, ale ona necouvla, dokud on nesklopil oči. To se mu ještě nestalo. Ostatní nic nezpozorovali.

Když pak šel domů, zastavil se pod okny a díval se přes tenisový kurt na její osvětlené okno. Někdo se tam mihl. Jelena? Ta pihovatá holka mu nešla z hlavy. Přišel kvůli ní pozdě na zkoušku orchestru, protože se coural pomalu ulicí a bylo mu tak divně, že se mu celá ulice zdála jiná, překvapující, zvláštní, stejně neobvyklá jako setkání s dívkou na terase. Orchestr právě začal první větu, musel počkat, až bude moci vylézt na pódium a zařadit se. Zatím vytáhl basu, sedl si do kouta sálu, vytáhl Evinu vlásenku a ryl do krku basy jméno: Jelena. Napadly ho přitom verše symfonie: « Duchu nebeských těch harmonií, které slýchal Plato ve svých snech. » Dnes poprvé mu nepřipadaly hloupé. V druhé větě zahrál dva takty svého sóla s citem. Pak se podíval na jméno, vyryté do krku basy a lehce ji pohladil. Jako by tam byl vyryl svůj osud — Jelenu.

HMYZ

Neměl jezdit na přehradu, nemá to smysl se vracet; nikdy se nemáme vracet, nemůžeme se vlastně nikam vrátit. Ale vždycky někam odjíždí a neví proč. Musí, nevešel by se do pokoje. Tlačit se v autobusu nemá smyslu; ví to, ale předstírá sám před sebou, že ví, co chce, ačkoli ví, že to neví.

Nad jezerem krouží pták — mimo čas. Láska je věčně tatáž, jako let ptáka, po tisíciletí tatáž. Nemá začátek ani konec, je to kruh, jenž nikam nevede a vede kamkoli. Všechno zůstává neodvolatelné jako vteřina, v níž se děvčátko směje, opilci zpívají a podzimní mouchy lezou na houskách v bufetu. Vždycky se vracíme. Chceme se zalidnit. Láska je totožná jako let ptáka, po tisíciletí tatáž...

Je horko. Sedí s batohem u stolu a neví, co má začít, jestli vůbec má něco začít. Když otevřel chatu, bylo tam nevětrané dusno, ale ucítil vůni pryskyřice, tu jemnou příchuť loňských nocí, rozlitou ve vzduchu.

Nevnímal nic jiného, protože s tou vůní byla ztotožněna ona. Nemohl se ani pohnout a tupě civěl na batoh, až ho z té hypnózy vytrhl velký černý mravenec, jenž lezl pomalu po stole. Záviděl mu cílevědomost, s jakou spěchal přes rýhy stolu. Vytáhl z batohu plavky a šel se koupat.

Vyhnul se rozcestí, ale nevyhnul se vzpomínce, že se tu jednou ptal, kudy chce jít, a ona řekla: «Kamkoli půjdu, všude budeš ty.» Teď mu to znělo v uších a vyvolávalo vzpomínky. Tady leželi poprvé v ranní rose, na pokraji louky, sem chodili večer mlčet k řece, tady se milovali tu noc, co se vrátila. Stesk se na něj lepí jako zpocená košile. Skočil do vody a plaval přes řeku a zpět, aby se unavil, protože pak nemusí myslet. Plaval by až do moře, kdyby mu to pomohlo zastavit mozek.

Dělal velká, pravidelná tempa, potápěl hlavu, nadechoval ústy a dýchal do vody. Zaujalo ho střídání vdechnutí a krátkého pohledu vpřed s chrčením bublinek a temnou zelení, jež ho obestřela při ponoření. Rytmičnost pohybů, mechanických, sladkých, otupujících. Měl na chvíli cíl, někam mířil, odněkud někam. Uprostřed řeky si lehl naznak a odpočíval. Někdo se v dálce smál. Bylo mu to nepochopitelné. Začal zase zuřivě plavat.

Na zpáteční cestě se zastavil v hotelu, aby se podíval do novin. «Máte tu výzvu,» řekl úředník v přijímací kanceláři. «Počkám,» odpověděl a četl zprávy o bombardování Omanu. Čas se táhl. V dusném srpnovém odpoledni líně vrčel větrák. Nějaká blondýna kouřila. Do všeho se opírala nuda. Snad bude pršet. Je dusno, k nevydržení, jako pod vývěvou, z níž pořád odsávají vzduch. Je teprve půl jedné, půl úterka, půl něčeho, a přece ani v druhé polovině nic nenajde. Mít alespoň milosrdného vraha pro toto odpoledne. «Máte tady tu výzvu,» říká úředník.

Když se vrátil, rozbalil batoh. Zapomněl si holení. Aspoň má záminku jít k přístavu a koupit si v boudě štětku, mýdlo a žiletky. Ale zdálo se mu, že nemá smysl jít dolů po schodech, a jít zase nahoru po schodech. Když si koupí věci, bude se muset dívat sám na sebe. Podíval se do zrcadla na zmačkané tweedové sako, zelenou košili, která se k saku nehodila a byla špinavá. Díval se na svou neoholenou tvář a znovu si uvědomoval, že toho člověka v zrcadle nenávidí.

Sedl si ke stolu a díval se na špinavou manžetu manšestráků, na šedohnědé, odřené rýhování, které bylo dole na manžetě skoro černé. Takové manšestráky si přál mít jako kluk, vrzaly při chůzi. Dnes je měl, a bylo mu nepříjemné, že při chůzi vrzají. Ať se přání splňují nebo ne, život je stejná mizerie. Když jel tramvají na nádraží, nějaká paní plakala. Díval se na ni, ale bylo mu líto sebe, protože ona někam jela a měla proč plakat. A on nemůže ani plakat, ani neví, proč jede na přehradu.

Stmívalo se. Stoupl si k oknu a pozoroval ptáky nad zátokou. Přicházela noc. Zlověstně, jako by si chtěla na někom vyvzdorovat lásku. Sklonil hlavu a díval se na černé kosočtverečky vzorku u ponožek a to ho trochu potěšilo. Začal vyškrabávat ztvrdlé bláto z výstupků pryžových podrážek. Jako by mu tam zůstaly kousky zabláceného života. Teď se mu vydroloval do ruky špinavý prach. Totéž, co je on sám. Ten první večer tady seděli podobně. Těžko říci, kdo se tehdy bál první noci víc. Šli z nádraží lesem, líbali se a když leželi mezi pařezy na stráni, začalo to poprvé přecházet do poloh, jichž se báli.

Po té noci nějak zvážněl, jako by přestal být mladý. Tehdy si poprvé na něj sáhla smrt. Dívky, které měl předtím, to byla zvědavost, bezvýznamné vztahy, milostné fetiše. Dívky se vynořovaly někde na okraji jeho vývoje a zapadaly jako líný měsíc, plížící se za obzor. S ní to začalo právě tak, jen ho divně vzrušoval její hluboký, trochu drsný hlas, složný z naivity, z něhy a síly. Tehdy se také schylovalo k bouřce. Když se svlékala, začalo se blýskat. Prosila, aby se nedíval. Slíbil to, ale díval se skrz prsty a viděl ji na vteřinu, ozářenou bleskem, nahou. Bála se bouřky, opravdově se bála blesků, jež oslňovaly na okamžik podkroví s dvěma dubovými postelemi. Jak krásně se potom bála bouřky...

Teď ležel v posteli a chtěl číst. Měsíc se schovával do mraků jako blbeček, který si chce hrát. Aby mohl číst, musel mít rozžatou lampičku. Ale pak mu nad hlavou stále létali komáři a můry. Kniha byla nudná. Číst se mu nechce, myslet se mu nechce, jen nebýt by se mu chtělo. Snad by mohl jít do lesa a válet se v jehličí. Uklidňovalo ho to, vždycky, když ho přepadl strach. Jel za město a válel se v oranici. Vždycky to pomohlo. Ale teď to nejde, teď se nebojí smrti, spíš sebe. Nemá sílu se zvednout, natáhnout košili, kalhoty a svetr. Komáři piští a můra naráží s pitomou pravidelností na žárovku. Odložil knihu, zhasl malé světlo a rozsvítil hlavní žárovku. Vzal si časopis a chvíli četl. Můra se přestěhovala k hlavní žárovce a komáři pištěli slaběji. Ale za chvíli to začalo znovu. Zhasl hlavní světlo, počkal, až hmyz vyletěl, potom zavřel okno a chtěl číst. Ale při zavřeném okně bylo dusno. A jedna můra tam stejně zůstala. Kdyby aspoň shořela! Ale nemůže, je to směšné, nemůže shořet na elektrickém světle.

Generátor hučel jako loni. Už zas je v tom! Mluví spolu, smějí se na sebe, vidí její profil, v němž je nostalgie, čistota a vášeň. Jeho hlava leží na jejích ňadrech a ona říká: «Jsem celá tvoje, jsem celá tvoje, jsem celá tvoje.» Opakuje to neustále. Vesmír se zastavil a trčí v jejích slovech.

Nechtěl s ní spát, chtěl s ní žít. Ale ani to neví určitě; teď už vůbec nic neví určitě. Na konci je vždycky stejně ona. Ona je absolutno, daleko víc než Bůh nebo on sám. Jinak nic nemá smysl, ani cesta tam, ani zpátky, ani chodit do kina, ani jíst, milovat a opíjet se. Nejlepší je nedělat nic, a zemřít, protože pak už není třeba nic předstírat. Smysl najdeme vždycky jen tam, kam ho vložíme. Nakonec máme všichni jen sebe. Jsou to všechno jen pózy. Rozsvítil světlo. Zhasl světlo. V očích mu zůstaly žluté skvrny světla žárovky. Pomalu rudly, pak přecházely do temné modři a nakonec se ztrácely v černi. Ještě ne, ještě ne, teď jsou pryč...

Začalo pršet. Prudké, veliké kapky se vbíjely do dusného vzduchu. Déšť česal tmu. Najednou někdo otevřel dveře a ženský hlas se zeptal: «Můžu se tu schovat?» Rozsvítil a řekl: «Jistě.» Byla to blondýna z hotelu. Měla v sobě něco, čím pohrdal. Vždycky ji ignoroval. Vykouřil s ní cigaretu, a když přestalo pršet a chtěla odejít, stoupl si těsně k ní. Objal ji a začal ji mlčky líbat. Lehla si napříč postele a trochu se usmívala, když se svlékal. Tma tekla chatou jako těžký špinavý olej. Po okenicích stékaly kapky rozpaků. Na křestní jméno se ptal, až když byla nahá. Znovu tu byla propast někdejší něhy.

Přichází, dívá se mu do očí a v jejím pohledu jsou meruňkové koláče a školní brašna se slabikářem. Přibouchne za sebou dveře a stojí před ní zabodnut do této situace, jako nůž cirkusového vrhače, drnčící nad hlavou blondýny, jež se směje. Život je tady, bezprostřední, štěkající pes na řetězu. Bojí se jí dotknout, jsou tu všechny noční horečnaté strachy a cítí jen její prsty, jež jektají něco nesrozumitelného, nějaké mumlání něžnosti, ještě přišpendlené na svatební šaty. Vnímá její vlasy, má jich plná ústa, boří se do té hnědi. Objímá ji, jako by byla zabalena v krabici plné dřevité vlny, obalující nejcennější prázdnotu. Dotýká se jí jako přes nějaké pláště z umělé hmoty, které napovídají, že je to ona, ale zároveň to zamlčují, takže je pro něho jen náznakem skutečnosti.

Byla překvapena, že jí leží u nohu a líbá jí nárt. Stojí tu bosá a skutečná jako bůh, na žlutém čtverci sešlapaného koberce, v pruhované sukni, připomínající rolety kaváren v Provenci. Vyklouben z času, poslouchá hrací hodiny jejího dechu, který běží, zaujat jako dítě motýlem u potoka. Milují se se samozřejmostí vraždy, jako se milují dva tuláci, válejicí se mezi úlomky cihel někde uprostřed periferie v srpnové noci. Řve tu orchestrion a tryskové letadlo švihá oblohu — plíží se nějakým bečícím ovčincem jako had, skrze nádvoří domu s renesanční arkádou, kde jsou v rohu rozházené bedny a kára se zlomeným kolem. Veliký klíč k

závrati, propadliště k sugestivním, silným nohám bez
lýtek. Bojí se, že ji ztratí, jsou tu mouchy a krajinou
obchází kdosi tragicky. Pomalé tlení, rozpad chvíle na
chemické sloučeniny hmoty, času a prostoru. Na tento
pokoj, na zbídačený vesmír, v němž je jen zubní kar-
táček a obnošené šaty v kufru. Letí tudy mol.

« Good morning, good morning, » křičel ráno hoch
v křiklavém svetru a dupal do kaluží, aby voda stří-
kala na všechny okolo. Probudil se. Černá zatemňovací
záclona visela podél okna a pruh slunce dopadal spící
právě na boky. Chvíle voněla její kůží. Tiše vstal, aby
gauč nevrzal. Poklekl nad ní a lehounce tváří hladil
porost na klíně. Cítil se šťasten, protože deprese byla
za ním. Objal jí boky a díval se do ranního pokoje.
Škvírou v podlaze lezli mravenci. Pozoroval je a měl
pocit, že je totéž co oni — hmyz. Bylo to příjemné
jako porost klína na jeho tváři. Zavrněla a trochu roz-
táhla nohy.

DIALOG O DVOU HLAVNÍCH SVĚTOVÝCH SOUSTAVÁCH

Ježišmarjá, lidi řvou, stejně nebudu moct číst toho
Mannheima, a teď ještě nesvítí slunce, to byl nápad jít
na plovárnu, měl jsem zůstat doma, ale když jsem na-
šel ve schránce ten dopis od Ireny, tak jsem hned vě-
děl, že nebudu stát celej den za nic, protože z redakce
volali, že to nemůže vyjít, eště ten lístek, co je mi po
tom jestli v Mamaji prší nebo neprší, a ta její lyrika,
tak knížka nevyjde, zase jeden potrat, dva roky života
pryč, máucta, tak teď už je to jistý, že mě vyhodí,
aspoň něco jistýho, nejlepší by bylo dát výpověď, hned
večer napsat Vážený soudruhu řediteli, po poctivém
uvážení jsem přišel k závěru, že si dovoluji rezignovat,
ale co budu pak dělat, můžu jít rovnou k popelářům,
ještě počkám, teď vyšlo slunce, třeba se to zlepší a

nevyhodí mne, ta ženská, co přišla v červených bikini
má hezký kozy, na co se koukáš, to víš, když si na
akademika otevřou hubu, tak couvne a vyhodí mne,
říká, že mám talent, to se teda mejlí, je senilní, ta
ženská má nádhernej profil, jak dcera krále Echnatona
čtvrtýho, ten psal krásnej zpěv o slunci, ale už je hor-
ko, král si zpíval, bodejť ne, když byl král, tak to bych
teda chtěl vidět akademika, jak předzpěvuje ty svý
blbiny proti revizionismu, to by byla sranda, ta ženská
vypadá jak od filmu, to bude asi pěkná kráva, je afek-
tovaná v každým pohybu, jak hraje ten nezájem a
soustředění na četbu, kdybych byl ustoupil, tak se to
dalo nějak urovnat, ale kdybych to udělal, tak bych se
moh' jít rovnou spláchnout, no jo, čte Saganku, to je
pro tebe jak ušitý, kráva krávě oči nevyklove, ty jsi ta
moderní kráva, širokoúhlá, panoramatická, stereofon-
ní plnotučná dojnice, napiš o tom do Světové litera-
tury, ať lidi vidí, že jsi kultivovaná, takhle se s tebou
vyspat a ty mi hned pustíš na krk ty city, Bože, ten cit,
miláčku, a já bych musel poslouchat bezobsažný výro-
ky, jak říká Carnap, člověk je prvočíslo, miláčku, člo-
věk je prvočíslo, máš mě ještě rád, člověk je prvočíslo,
miluji tě, musel bych to poslouchat, musím poslouchat
ty blbce v podniku taky a říkat jistě, jenže konec kon-
ců, proces zprostředkování objektivní reality je složitý,
ty jsi taky složitá, to je hned vidět, jak se koukáš, že
čtu Mannheima, jak vidíš intelektuála, tak hned ču-
cháš nějaký svinstvo, ty jsi asi vypráskaná potvora, to
se hned pozná podle tvýho cukrbliku, jak cítíš, že
by tě někdo moh' zpráskat, tak jsi hned vedle, na to
ty letíš, byrokrati taky, jak vidí pěst do držky, tak
jsou hned na měkko, když se loni zdálo, že dostanou v
Budapešti přes hubu, tak roztahovali nohy jak kurvy
z Montmartru, co s tím dovedou sebrat pětifrank se
stolu, jenže to už je za náma, zejtra to bude spíš horší,
jen se protáhni, to se mi líbí, že nejsi v podpaží vyho-
lená, nikdy jsem nepochopil, proč se Řekové depilovali,
voni asi nebyli dost rafinovaní, ale Římani byli a taky
se depilovali, to nedovedu pochopit, měl bych se na to

zeptat akademika, ten by se šklebil, kruci, takhle tě
líbat do podpaží a čichat vůni tvýho potu, stejně by mi
to připomínalo Irenu, jak její tvář září ze tmy garson-
ky a jak jsem říkal navždycky, navždycky, navždyc-
ky, pořád dokola jako blbec a věřil jsem tomu, den na
to spala s Klírem a dělala si ze mne legraci kvůli tomu
ručníku, stejně se žije líp, když má člověk alespoň
nějakou iluzi, alespoň hezký ženský, ale teď už je mi to
fuk, jestli spím s hezkou nebo ne, protože tamto se
nevrátí, jak její tvář zářila a jak jsem říkal navždycky,
na to, na to budu myslet, až budu chcípat, stejně si asi
už myslela, jak mně napíše ten verš, dnes by mi to bylo
jedno a nemusel bych chlastat, ale tehdy jsem ještě
nesnášel kultivovaný kurvy, byl jsem blbej a stejně
na tu budu myslet, až budu chcípat, rozumíš, ty jsi zrov-
na taková, myslíš jen na to, co by se kde dalo klovnout
a proto budeš mít úspěch u mladíků s bradkama, ať
vlezu kamkoli, bude tam kus tebe a bude to k zblití,
až uteču do kina a potom uteču vožrat se a potom
uteču domů a potom už nebudu mít kam utéct a budu
řvát a řvát a přát si konec, chcípnout, pak aspoň už
nebudeš ty, a ta ercobrduplkurva akademik a já a všech-
no, co mi jde na nervy a nejvíc ty, právě proto, že jsi
tak krásná a že mi připomínáš Irenu a ten lístek, jdu
vocaď nebo mě to tady chytne a budu brečet, musím se
honem vožrat, aspoň nebudu na nic myslet, na tebe,
ty ty krávo, na akademika, na Irenu, že ani nezavolá,
bodejť by volala, ještě se bude kompromitovat, osle-
pená úspěchy, které nenávidím, protože je nemůžu do-
sáhnout, protože nepatřím do téhle doby a ona si z ní
dělá fackovacího panáka, ale já ho dělat nebudu, to se
radši prásknu a bude po všem, Irena ani nebude vědět,
že to bylo kvůli ní a akademik bude říkat, že to byl
talentovanej člověk, protože to je nesmrtelnej vůl,
blbej až za hrob jako já.

   Ty plavky sou prima, jen mě trochu řežou do kyčle,
to jsem zvědavá, co mi Ríša přiveze, třeba nový bikini,
ale u nás se člověk nemůže pořádně oblíct, aby se lidi
nekoukali, no tak, ještě jste neviděli ženskou, jen se

podívejte, mám to ráda, jak na mne šahají očima, jen
jestli Ríšovi zbude dost peněz a nebude pít, bude mít
jistě úspěch, když se objeví ve fraku, vypadá skvěle,
jestli mi ty bikini nepřiveze, tak to určitě prochlastal
s nějakou obdivovatelkou, to bych ráda věděla, jestli
je mi věrnej, stejně to poznám, když přijel z Varšavy,
tak určitě někoho měl, udělal si to jednou, říkal že je
unavenej a chrněl až do rána, a ráno se do toho musel
moc nutit, ale já to mám ráno ráda, trvá mu to dlouho,
je silný jako býk a dívá se na mne jak zvíře, pohrdá
mnou při tom a to je prima, to miluju, on je přitom
vždycky někde hodně daleko a já ne a v tom je zas on
vedle, tady bych zas já mohla kašlat na něho, ale já ne,
a on si myslí, že mi imponuje jako dirigent, to je mi
úplně jedno, Marcela říkala, toho ti závidím, intelektuál,
to je moje, to bys koukala, jaká je to nuda, já bych
radši ležela u Marcely na balkóně a dívala se na řeku,
na slunce ve vodě, když si sednu, tak ty plavky řežou,
ten mužskej má krásně chlupatý prsa, to mám ráda,
musím myslet na Karla, jak mě hladil, vždycky mne
potom bolely bradavky, na to nezapomenu, Mannheim,
Studies in Culture, to bude pěkná otrava, určitě si
kompenzuje svůj mindrák tím, že čte tyhle věci, myslí
si, že nám jde o to, jestli je chytrej nebo ne, intelek-
tuálové jsou pitomci a vůbec nám nerozuměj, to je je-
jich štěstí, Ríša si taky neuvědomuje, proč ho mám
ráda, ještě ten chlap kouká, jo, jen se koukej, kozle, já
vím, na co myslíš, všichni myslí jen na sviňačiny, mně
je to jedno, když tě to baví, byl bys zklamanej, já na
to nejsem dělaná, že to tu Saganku tak baví, já mám
radši studenou sprchu, voda mi teče po prsou do klína,
to je nádhera, kdepak mužský, ale ty bys teď mohl jít
sem a trochu mě bavit, ale sedíš jak pitomej, to víš,
já k tobě nepudu, když jseš hloupej, no tak si čti o
kultuře, kdyby mě teď viděl Ríša, jak s ním koketuju,
tak bych byla vzteklá, že nežárlí, ale to se mu jednou
vymstí, třeba to jednou zkusím s tímhle, no a co, nic
by se nestalo, kdyby mě zítra neotravoval telefonem
a nemyslel si, že to bylo kvůli němu, tak bych to udě-

lala, ale třeba by žvanil a házel by na mne svoje problémy, jen by mě zajímalo, co by dělal Ríša kdyby se to dověděl, on si myslí, že se nemá čeho bát, ale já mu to jednou ukážu, jako tuhle, když jsem si vzala průhlednou podprsenku, protože měl přijít Pavel, smál se mi, lehnu si na břicho, když si lehnu na břicho, vždycky musím myslet na milování, Karel říkal to je tím, že se pohlaví naplňuje krví, to je aspoň přítel, slíbil, že mi to zařídí, kdybych byla v tom, mužský dovedou být zároveň hloupí a inteligentní, Karel byl fajn kluk a pořád mi nosil nějaké hlouposti, třeba tu čínskou kobylu nebo přivez ty sošky z Indie, jenže pořád mluvil tak divně, to jsem ráda poslouchala, verše mě nudily, ale k ničemu se neměl, to když jsme šli hned prvně tancovat s Ríšou, Ríša neříkal nic, ale pěkně mu stál, když se mnou tancoval, a hned jsem věděla, to je prima kluk, Ríša nežvanil a hned tehdy v autu na Slapech, bylo to nepohodlný a mě to zklamalo, že jsem přišla domů a brečela, protože bylo vidět, že mám roztrhaný punčochy a Karel hned všechno pochopil, jemu nemusím nikdy nic říkat, jeli jsme domů, Ríša tam zůstal, po rovině za Běchovicemi pořád 120, řídil jednou rukou a druhou mě hladil, trochu jsem se bála a druhej den jsem stejně jela znovu do hotelu za Ríšou a když jsem mu řekla, že se za to stydím, tak mi dal facku, lidi se dívali, bylo to hrozný, utekla jsem do pokoje a on přišel, řekl, nehraj komedii, začal mě líbat a začal mě milovat oblečenou, nebylo zamčeno, pořád jsem se bála, že někdo přijde, musela jsem myslet na to, že není zamčeno a nechtěla jsem aby mě svlékal, a on myslel, že ho nechci a že se bráním, tak byl vzteklý a rval mi šaty násilím, to bylo tak hezký, že jsem zapomněla i na ty zatracený dveře a řekla jsem ano, ano, ano, to ty bys určitě nedokázal, ty takhle tlachat o tom, co sis přečetl včera v nějaké revui, o principech deformace v moderním sochařství, prosím, ale jen ať se s tím nehoní a potom to Ríšovi pořád hořelo v očích, chtěla jsem už odejít a telefonovat domů, že přijdu za hodinu, ale bylo obsazeno, tak on si sedl na zem a najednou zase začal bláznit, stáhl mi trikot a už byl ve mně, stáli jsme uprostřed pokoje a čekali na telefon a tak jsem řekla zhasni, pak jsem dostala doma vynadáno, dokud jsem neřekla, že se budu vdávat, to bylo to nejhezčí, co jsem zažila, nebo to bylo možná lepší s Karlem, jak jsem byla trochu opilá a začala jsem ho líbat a on napřed nechtěl, protože věděl, že si s ním chci jen hrát, uráželo ho to, protože ten chce vždycky jen všechno nebo nic, jednou mi řekl, Láska a smrt, to je totéž, vůbec jsem nerozuměla, co tím chce říct, ale teď vím, že měl pravdu, láska a smrt je totéž, líbala jsem ho a on se úplně proměnil, napřed byl strnulý, protože se chtěl ovládat, ale pak se úplně proměnil, dívala jsem se na něj zblízka a zdálo se mi, že je někdo jiný, byl krásný jako bůh a pak vůbec nevím, co se dělo, bylo to nekonečný, nikdy bych neřekla, že je v něm tolik něhy a síly najednou, nevím, co se dělo, jen na konci jsem brečela štěstím, už nebudu ležet na břichu, kde jsou cigarety, budu dělat, jako když si chci zapálit a nemám sirky, vsadila bych se, že nic nepochopí, tak co, nic, je to osel, to by pochopil každý učedník, intelektuál ne, ten má zábrany, Ríša by se taky ani nehnul, jestlipak mi přiveze ty bikini, to jsem opravdu zvědavá.

ÚSMĚV ČÍSLO ČTYŘI

Až do jara plynul profesorův život fádně. Psal vždy dopoledne svých šest stran se strojovou pravidelností běžícího pásu. Přesně ve dvě skončil a odešel na oběd. Odpoledne četl odbornou literaturu, časopisy a toutéž pravidelností skončil v šest, aby se navečeřel a šel do divadla nebo k přátelům. Zvykl si dávno na strohý životní režim a pečlivě vylučoval vše, co by jej mohlo narušit. Psal velkou monografii o Spinozovi a menší studie publikoval v odborných časopisech o nákladu tisíc výtisků, z nichž polovina byla neprodejných. Jeho příspěvky dokázalo přečíst nejvýše deset lidí, zpravidla jeho nepřátel. Ale protože odborná úroveň s aparátem citací byla úctyhodná, odpůrci jen po straně zdůrazňovali, že nezná holandskou studii Groethuysena o svatém Tomáši. Článkům málokdo rozuměl a proto se předpokládalo, že profesor je učený. Bylo mu skoro padesát a byl zařazen mezi deseti dalšími čekateli na vzestup. To byli právě čtenáři jeho článků, kteří četli jeho studie pozorně a říkali, že nezná arabské rukopisy Al Kindiho, což je nehorázné.

V letním semestru zahájil čtení o Spinozovi a seminář, kam chodilo šest posluchačů. Začal přednášet kritiku pramenů, s obvyklou důkladností. Byl teprve v XVIII. století, když zpozoroval, že v první lavici sedí nový student a posluchačka, kterou dříve neviděl. Zachytil její pohled a byl tím trochu zmaten. Jako by si přiskřípl duši mezi dveře. Vzrušení pociťoval už jen výlučně nad Spinozou, zvláště nad jeho « Traktátem theologicko-politickým » a nad úvahami o vztahu modů k atributům. Pokračoval v monotónním přednesu, ale cosi ho nutilo, aby se díval do první lavice znovu. Chtěl odolat pokušení a změnit monotónní přednes za lehce odstíněný. Soustředil se na poměr německých a francouzských osvícenců k Spinozovi. Na chvíli to pomohlo, ale před přestávkou byla touha dívat se do první lavice tak silná, že neodolal. Dívka měla modré šaty s bílými tečkami. Hnědá skloněná hlava se lehce pohybovala nad sešitem. Dívka pečlivě zapisovala. Všiml si, že proporce rysů v jejím obličeji neodpovídají úvahám z Leonardova Zápisníku, ale že je krásná. Z lavice vyčuhovaly nohy, proti kterým by neměl námitky ani Leonardo. Profesor se lehce naklonil přes katedru, aby si to ověřil. Tento zážitek mu proteplil hlas, ale vedl k tomu, že si omylem přehodil výpisky a teprve nyní zpozoroval, že vykládá o Helvetiovi, ačkoli výpisky, z nichž četl, se týkaly Holbacha. Jaká ostuda, plést si Helvetia s Holbachem. Oznámil přestávku.

O přestávce rozprávěl s posluchači na chodbě jako

vždy. Byl to jeden z mála kontaktů s lidmi a proto byl velmi srdečný a staral se o drobné potíže posluchačů. Teď byl lehce napjat, jak se seznámí s novou posluchačkou, ale nebyl by si to přiznal. Ona však přišla sama a řekla, že se přestěhovala z Brna, jmenuje se Sylva Tomešová a chce dělat diplomovou práci o Voltairovi. Druhý student se představil jako Jindřich Kára. Profesor řekl vtip o Voltairovi, ona se usmála, dívajíc se mu do očí. Byl to její působivý trik. Měla dávno vyzkoušeno, že hypnotické síle jejího úsměvu a pohledu nikdo neodolá. Zvlášť byl-li to úsměv číslo čtyři, pro který právě Jindřich za ní přišel z fakulty v Brně, protože se do ní nesmyslně zamiloval. Rozhodla se, že bude úsměvu používat jen v krajních případech. Rozpracovala k dokonalosti raději tři první úsměvy, číslo jedna bez koketerie, číslo dvě lehce frivolní a číslo tři, zainteresovaný, s nadějí. Ale v tomto případě šlo o důležitou věc, diplomovou práci, tady byl na místě spalující pohled s úsměvem číslo čtyři.

A tak nyní pronikal do profesora její pohled a úsměv, strhoval ho jako obrovitá řeka, zaplavil jeho spinozovskou duši plnou modů a atributů, vyvracel mu schéma přednášky a rozezníval ho. Na několik vteřin ho vychýlil do poloh, které byly dávno zasunuty horami knih, Aristotelem, Demokritem, Leonardem, Macchiavellim, Erasmem, Montaignem, osvícenci a zejména nejbližším přítelem - Spinozou. Byl zvyklý chápat život jen v jeho abstraktní podobě a teď se naň najednou smála konkrétní jedinečnost života, před níž byl vždycky neobratný jako chlapec. Dívka jako by se smála jeho pojmové tvorbě, ciselované dvě desetiletí s pokorným vědomím neužitečnosti práce. Vlna úsměvu ho brala s sebou, ztrácel se mezi dvěma řadami jejích zubů a mezi jejími rty, na nichž visel jako nad propastí. Její pohled mu plenil v hlavě kartotéky.

Konečně ho zachránil zvonek. V druhé hodině byl nervózní a dnes poprvé za mnoho let byl nespokojen s přednáškou. Díval se střídavě z okna do dubnového slunce, na rytmicky píšící hlavu v první lavici, do svých poznámek, jež mu připadaly jaksi nudné, dokonce i tam, kde se určovaly — s obrovskou erudicí a poprvé ve světové literatuře — zcela nově vztahy německého osvícenství k Spinozovým modům a atributům. Když skončila přednáška, namluvil si, že musí jít na děkanství a ověřit si data nových posluchačů, ačkoli to vůbec nebylo nutné. Šel do kartotéky, a aby to nebylo nápadné, řekl, že si musí opatřit adresy třetího ročníku. Nová karta tam už byla, lesklá, s fotografií, jež byla pozadu za skutečností. přistihl se, že by tu fotografii chtěl ukrást a skoro by to byl udělal, kdyby si naproti němu nebyl sedl úředník z rektorátu. Naráz nabyl rovnováhy a důstojnosti vysokoškolského učitele. Zběžně četl základní data: Rok narození 1935. V tom roce on začal přednášet na fakultě. « Nesmysl, » řekl si profesor, a šel do knihovny.

Jako obvykle, byl-li unaven monotónností práce, šel do universitní knihovny, hrabal se neorganicky v knihách a četl věci, jež neměly praktický význam. Pokládal to za jakýsi intelektuální přepych, v němž vychutnával nelogičnost svého počínání. Byla to největší rozkoš, jakou znal, a cítil se při tom svoboden. Když se zapisoval při vstupu do knihy návštěvníků, viděl, že v polední přestávce tu byli jeho posluchači. Upozorňoval je na slovanské edice Spinozy, zvláště na pozoruhodnou studii akademika Bolgina. Zarazil se u jména Sylva Tomešová. Jako by v něm někdo natáhl strunu a nechal ji drnčet. Zbyl tu její podpis a záznam o osmi půjčených knihách a dvou časopisech, historický záznam svého druhu. « Historická data zachycují jen popisně pojatou skutečnost, » myslel si, « protože z toho záznamu nikdo kromě básníka nevyčte pravdu; ne historický, ale přece jen neméně skutečný fakt, že nad tím stojím v rozpacích. » Sáhl po encyklopedii, listoval chvíli devátým svazkem Vologda až Gazeli, ale všechny stránky byly provlhlé steskem. Bylo mu směšné, že nad tím ztrácí rovnováhu. Brzy odešel.

V devět hodin ráno den zívá, řeka se líně protahuje, stromy na břehu trčí do smrákání a ptáci zpívají do ticha, přerušovaného z dálky klaxonem auta. Jde po mostě a cítí, že má sebe. Duše si mu sedá na rameno. Bláto na ulici patří k jaru a krása bez špíny je nelidská. Jaro, krása, špína, slunce, láska. Život je věčný nesouhlas s estetickými kategoriemi. Přestal se bránit touze myslit na Sylvu a oživovat si její obraz. Má svůj prázdninový přelud. Zastavil se ve Valdštejnské zahradě. Byla poloprázdná. Zavřel oči a myslel na Sylvu, jejíž obraz se prolínal s filosofickými kategoriemi. Hrajeme-li o všechno, je možné prohrát všechno, a to je krásné. Buď zdráv, osude. Sázel vlastně na náhodu a čekal zde na Sylvu. Ale přicházeli jen penzisté a děti. Alejí chodila zvolna stará dáma se žlutou kyticí. Profesor se díval na Venušiny boky na fontáně. Reálnost lásky? Jako by velké lásky mohly být reálné. Je v nich touha, vzpomínka na blesk, něco vrchovatě plné skutečnosti a zas něco, co tu skutečnost přesahuje. Ach ano, jsou to *barokní* boky, řekl si proesor, jsou mezi nebem a zemí a hlásají slávu Stvořitele. Jsou jediným nezvratným důkazem jeho existence, hlubším než důkaz ontologický a teleologický dohromady a usvědčující z hereze svatého Jeronýma, tvrdícího, že ďáblova síla v člověku je v bedrech. Ty barokní boky oživovaly iluzi víc, než bylo vhodné a zhmotňovaly vše kolem. Paní se žlutou kyticí odešla.

Šel pak přes Kampu k Národnímu divadlu a pořád nevylučoval možnost, že by ji mohl potkat. Na stanici nechal ujet několik tramvají. Bylo mu dobře v tom pletenci osudů na nároží, házel drobty rackům a díval se, jak lidé přicházejí sami a odcházejí ve dvou. Dlouhé, intenzívní minuty.

Když vstoupil do dveří svého činžáku, šel automaticky ke schránce na dopisy a otevřel ji. Obyčejně vybíral schránku v poledne, když odcházel na oběd. Nikdy nedostal nic důležitého; řada odborných časopisů, pozvánky na schůze nebo prospekty nakladatelství. Hodil pak korespondenci zpět do schránky a odcházel, aby se nemusel vracet nahoru. Když přicházel z oběda, otvíral schránku znovu a odnesl její obsah nahoru. Bylo to nepraktické, ale měl pocit, že tak nemůže nic významného zmeškat, ačkoli nic takového zmeškat nemohl. Otvírání schránky patřilo k jeho oblíbeným chvílím z dob, kdy ve schránce byly dopisy od herečky, kterou kdysi miloval. Ale to bylo dávno, teď už přicházely jen odborné časopisy. Každý den bylo ve schránce něco ke čtení. Listoval obyčejně časopisem a byl-li obsah zajímavý, stál dole u vchodu a četl třeba půl hodiny. Tak ho mohli vidět nájemníci z domu na chodbě rozřezávat obálky, listovat a číst. To byla téměř jediná situace, kdy se s ním setkávali, ve chvíli, kdy se zdál ještě bizarnějším, než byl.

Dnes odcházel brzo ráno do knihovny a díval se tedy do schránky teprve večer. Mezi dvěma cizojazyčnými časopisy, ležela obálka bez tiráže institucí, pokrytá nedbalými písmeny adresy. Soukromý dopis? Zavrtěl hlavou, obrátil obálku a přečetl zpáteční adresu. Sylva Tomešová, Horšovský Týn. Stál tu zkoprnělý náhlým štěstím, jež mu stoupalo k hrdlu a vlnilo se páteří. Kdyby byl dostal jmenování akademikem, nemohl být víc překvapen. Zamkl schránku a nesl dopis do svého bytu, stoupaje rychle po schodech do čtvrtého patra? Ne, do nebe. Sedl si do křesla. Srdce mu bilo vzrušením a prudce dýchal. Zavřel oči a zvrátil hlavu dozadu na opěradlo lenošky.

Nechtělo se mu vlastně dopis otevřít, hřál ho v ruce. Nejraději by ho byl nechal nepřečten, prosnil jeho alternativy nebo si nechal zdát jeho obsah. Možnosti, které dopis obsahuje nerozřezán, byly daleko fantastičtější nežli skutečné sdělení. Zdržoval chvíli, kdy dopis otevře, protože čas byl teď neobyčejný, zvláštní, trochu se vlnil a praskal drobnými elektrickými výboji, jako když si žena češe vlasy. A také by se ten čas dal přirovnat k líné černé kočce, která se lísá k noze. Meditoval o tom, že skutečnost volí vždy jen jednu, určitou možnost, a v tom je právě její tragický rys, protože znamená i smrt ostatních možností. Pomalu rozřízl obálku. Dopis vlastně nebyl od ní. Seminář byl na horách, poslali mu pozdrav a ona dopis odeslala, protože byla nejmladší a musela se s tím otravovat. Napsala několik vět, ostatní to podepsali. Jindřich byl zlomyslný a dal do obálky petrklíč. Profesor četl a rázem byla z pokoje louka, lesy, cestičky a vítr, dubnová pohoda, intimní ticho. Pil život s dlaně.

To je zvláštní, myslel si, takový dopis dovede naráz udělat svět barevným, pestrým, vtisknout mu účel, ozřejmit věci, k nimž se pouhou úvahou nikdy nedostaneme. Podlouhlá obálka zmnohonásobovala smysl jeho života, cítil ten smysl, jako něco skoro tělesně nového, co dříve jen znal a věděl. Zdálo se mu, jako by se dějiny přírody a lidí, vývoj biologického druhu homo a střídání sociálně ekonomických formací odehrály právě pro tuto chvíli, takže všechno, mezinárodní situace, státníci, vyjednávající o mírovém soužití, i vnitropolitické události měly význam jen v souvislosti s tímto dopisem. Dějiny se odehrály proto, aby mu Sylva napsala dopis. Dokonalý solipsismus, pomyslil si. Ale je rozhodně půvabnější než nepoetická historie, která vylučuje, že by úsměv ženy mohl znamenat pád říší nebo vzestup národů.

Pociťoval bezmeznou radost, jak seděl v tomto jarním večeru u okna a snil. Zamiloval se. Myslel, že je dávno imunní. Nechtěl s tím mít nic společného od té doby, co se přesvědčil, že čas je nepřítel citů, a že láska musí končit buď tragicky nebo zevšedněním. Vážné problémy filosofie to jen komplikovalo, nestálo za to brzdit citem práci. Aristoteles i Hobbes měli v tom směru pravdu, o Spinozovi ani nemluvě. Lásky končí vždy hlubokou rozervaností a skepsí. Nad Spinozou pociťoval jen harmonii; Spinoza nebyl ani tragický ani rozervaný. Když se vzdal milování a lásek, byl přesvědčen, že se nevzdává nějaké hodnoty, ale že se zbavuje překážky silou vůle. Nechápal, jak mohl Hegel napsat velkou logiku v prvních letech manželství. Namlouval si, že je tak šťasten. Konečně, nemůže změnit svou samotu, druhý člověk ji nikdy nezmění, jen ji zastře a zaplní sám sebou, takže vzniká dojem, že samota není, zatímco stačí odhrnout jen cíp a stará důvěrně známá samota je tu zase. To všechno dávno věděl. A teď má propadnout Sylvě?

Chtěl začít psát, ale místo toho se díval na kvetoucí klivii u knihovny, která vždy zjara rozkvétala zázračným trsem kalichů a nad níž si uvědomoval, že zase o rok zestárl, protože neměl s kým slavit narozeniny. Klivie kvetla mezi středověkou filosofií a francouzskými materialisty, měla po jedné straně ctihodné patres a na druhé Rousseaua a encyklopedisty, takže když kvetla, duchovnost jedněch se spojovala s jasnou a horlivou skutečností druhých. Květ byl stejnou iluzí jako Sylva, v tom růžovém kalichu se mu zhmotňovala ona. Klivie měla ještě před několika dny veliký trs květů, ale teď opadávaly. Květy vadly jako zmarněné dny, odcházely, krutě a samozřejmě, loučily se s jarem. Ale ani květy nechtěly žít jen pro sebe a jako všichni těžce nemocní, nevěřily, že zemřou. Dnes zbyl poslední květ. «Nenech mne zemřít,» říkal profesorovi, «daruj mi kousek lidské nesmrtelnosti, dej mi myšlenku a zachráníš mne tím před zkázou. Dej mi lidský smysl, budu, čím jsem a přece něčím víc, částí lidského vztahu. Daruj mne Sylvě, je ve mně tragika i krása mého posledního dne, mého prvního a posledního jara. Musím říkat pravdu, protože před smrtí nelze lhát.» Ano, pošle jí klivii a napíše jí dopis.

Dávno už nepsal milostné listy. Měl by se podívat, jak vlastně takový dopis vypadá. Přečte si starou korespondenci od herečky. Vyhledal starou kazetu, kterou kdysi používala jeho matka jako schránku na šperky a kde měl uloženy svazky dopisů. Našel ke kazetě klíč a posvátně ji otevřel. Začetl se do korespondence z let, kdy vstoupil na fakultu a kdy dostával tyto dopisy od půvabné a divoké dívky. Zdály se dnes směsí pošetilosti a něhy s hlediska spinozovského pantheismu, ale nemohl popřít, že byly hluboké a nenávratně vzdálené, ztracené. Přistihl se dokonce při myšlence, že ho Spinoza okradl o nejlepší kus života. Pak našel svazek svých veršů z dob studií, plný naivity a opojné vůně veliké studentské lásky z tanečních hodin. Nad verši objevil, že vlastně hrozně zestárl, ale nebyl si jist, zda zmoudřel. V dopisech byl úplně někým jiným. Dnes tomu druhému z dopisů záviděl. Ten druhý neznal dějiny filosofie a nebyl expert na Spinozu, měl svůj naivní subjektivismus v pohledu na svět. Ale byl přece bohatší. Při četbě dopisů a veršů se profesorovi zdálo, jako by sahal do nějakého neznámého prostoru, do transcendentna druhého, cizího člověka, a potěžkal je v ruce. Byla to surrealistická situace, nelogická, absurdní, mít náhle v ruce dopisy a verše člověka tak známého i vzdáleného.

Přirozeně, v každém vývoji nejen získáváme, ale i ztrácíme, říkal si, nemohl jsem takový zůstat a zároveň psát o dějinách filosofie. Logicky to bylo správné, ale zase se v něm probouzelo vědomí, že získal příliš málo a ztratil všechno, kruté vědomí, z něhož se otvírala prázdnota dvaceti let, strávených nad tím, že opakoval a usoustavňoval to, co řekli antičtí, renesanční a novodobí filosofové. Mohl si najít argumenty o smyslu své práce, měl velmi dobře promyšlen smysl svého života, ale před vlastními verši a korespondencí s herečkou to vše bylo směšné. Argumenty neplatily a dokonce i monografie o Spinozovi se zdála nesmyslná.

Bylo mu z toho smutno. Když psal svou disertační práci o antice, byl ještě schopen psát milostné dopisy. Později, nad habilitací o periodizaci dějin se ještě jednou bláznivě zamiloval do ženy, jíž poslal stoh podivných dopisů. Ale nebyl schopen ji získat, protože byl po desetiletém studiu filosofie cizí životu. Neměl ty dopisy vlastně číst, teď v něm vznikalo vědomí životní prohry. Viděl, že není schopen napsat dopis Sylvě a že toho nikdy už nebude schopen, že nemá jinou volbu než Spinozu, protože ztratil ostatní možnosti. Zamkl kazetu, klíč dal do kapsy a korespondenci založil dozadu do zásuvky psacího stolu, kde nejméně překážela kartotékám excerpt z dějin filosofie.

Pokusil se pak textovat excerpta k třetí kapitole o přírodovědě XVII. století, ale nemohl psát. Nenáviděl náhle všechno, co patřilo k němu samému, svůj rukopis, svou neschopnost žít. Stárnu, říkal si, ale to nevadí, dovedu-li z toho těžit moudrost a ne zoufalství. Jen stáří dovede klást opravdu základní otázky, přesněji jedinou základní otázku životního smyslu. Teprve když je člověk zralý a blízko stáří, neobelhává se, nemá, proč by klamal sebe či jiné. Vis á vis smrti se říká pravda. Stáří je nejblíže smrti a proto je nejblíže pravdě. Jde mu jen o to, oč mu vskutku jde. Smrt je nejlepší přítelkyně filosofů, jen ona dovede řešit každou metafyziku absolutně, neodvratně, konkrétně, humanizuje nás, smiřuje složitost s prostotou. Profesor se díval na mraky na obzoru a uvědomil si, že by mohl žít také v docela jiné soustavě vztahů, nežli žije, a snad šťastněji. Ale tohle vědomí bylo zničující, vyvracelo z kořene jeho Spinozu, leptalo na každé chvíli, kterou s ním prožil, a vtiskovalo mu znamení nicotnosti. Jestliže Tvoje já mohlo být i jiným já, tedy Tvoje já je zbytečné já. Dost. Nedá se však omámit nějakými iluzemi, úsměvem. Jak ho mohl pouhý dopis tak vychýlit, že mu vnukl dokonce pochybnost nad Spinozou. A s tklivou něhou, s jakou se muž dotýká milenčiných ňader, pohladil starou knihu, ležící na stole. Bylo to první vydání Spinozova « Traktátu theologicko-politického ».

Příští týden přednášel klidně a soustředěně, s lehkým pathosem nad vztahem modů a atributů. Sylva byla opálená, protože byla týden v horách. Po přednášce hovořila s Jindrou. Říkalo se o něm, že je talentovaný a bystrý. Sylvu dráždil tím, že ji vytrvale přezíral. Požádala ho o cigaretu, Jindřich ji zapálil a řekl: « Nezdá se ti, že profesor nějak zestaral? » « Ani ne, » řekla Sylva, sfoukla sirku a vrhla na Jindřicha pohled s úsměvem číslo čtyři. Pak ho požádala, aby ji doprovodil přes most na tramvaj. Profesor šel před nimi a přicházel právě na most, když ho napadla pozoruhodná myšlenka o souvislosti mezi Holbachovým postojem k Spinozovi a abstraktním humanismen rousseauovského ražení. Zapisoval si nápady okamžitě. Sáhl mechanicky do kapsy pro lístky na excerpta a pro tužku. Nahmatal místo tužky klíč od kazety na dopisy. Podíval se na klíč, trochu zaváhal a hodil klíč do řeky. Pak se zastavil a vyplňoval lístek rychlým písmem. Po druhém chodníku šla Sylva s Jindřichem a smála se. Přirozeně, úsměvem mimo stupnici.

VEČNÉ SVĚTLO

Dědek se cítil v poslední době nesvůj. Chůze ho namáhala. Bylo jaro, a on cítil, že sesychá. Přes den sedával v městském parku a ukazoval dětem staromódní hodinky, které tikaly své vteřiny do dětských duší. Zrána seděl na lavičce sám a kouřil fajfku. Byl tu vždycky první, protože chodil krmit ptáky. Ptáci ho znali, přilétali na jeho krátké přetrhované něžné hvízdání a někteří mu zobali z ruky. Stál tam s nimi a hovořil o počasí, o hlídačích v parku. Ty nejznámější volal křestními jmény a dával jim drobty z buchet, chleba a brambory.

Když přišel do parku první návštěvník, dědek si přisedl. Podařilo-li se mu zapříst rozhovor, začal líčit svůj životní příběh. Miloval ženu, která od něho před třiceti lety utekla. Nenáviděl ji za to s takovou prudkou záští, že se k tomuto svému krachu vracel ve všech svých rozhovorech, a vždycky vzpomněl na « tu mrchu », ať mluvil o čemkoli. Byla v něm dosud zarostlá, v jeho zvycích, v řeči, ve všem, co dělal. Ve skutečnosti jej tedy ovládala stále, i po svém odchodu. Rána po ní se nikdy nezacelila a teď miloval svou nenávist k ní se stejnou vášní, s jakou kdysi miloval ji. Líčil stereotypními slovy svůj příběh, chrlil nadávky na ženu a jeho posluchač brzy pochopil, že dědek si potřebuje postěžovat. Potom šel na oběd do kantýny. Chodil tam nerad, protože všichni tam znali jeho příběh a neradi jeho nadávání na ženu poslouchali.

Konečně přišel večer. Dědek miloval smrákání. Rozlišoval odstíny soumraků, jejich vůně a barvu oblohy, miloval pohodu večerů s lidmi, pospíchajícími z práce, i plískanice, déšť a sníh. Střídání počasí dávalo jeho večerům vždy nové kouzlo, jež dovedl ocenit, jak dlouholetý piják značku vína. Protože večer už nebyl dědkem z parku, lidským vrakem mezi náhodnými chodci, dětmi a ptáky; večer byl sám sebou-lampářem. Nedovedl si představit, že by mohlo být krásnějšího povolání než procházet večery s bidlem a rozsvěcovat plynové lampy v zapadlých uličkách.

Od té doby, co mu utekla žena, chodil tímtéž okruhem už třicet let. Režimy se střídaly, ale dědek byl tentýž a dělal svou práci. První a druhá republika, okupace, osvobození, to vše procházelo jeho vědomím jen povrchně, jako se měnily názvy ulic a ulice zůstávaly tytéž, stejně jako dědek. Nenáviděl fašisty za to, že musel zatemnit lucerny a vlády soudil podle toho, jak často dávaly natírat lucerny a jak často směl vyměňovat punčošky v plynových hořácích, aby neblikaly a svítily pořádným světlem.

Dnes vyšel dřív. Chtěl vyměnit hořák v Čínské a k tomu si musel vzít žebřík z Pětidomí a zase se s ním vrátit. Proto Terronskou dost spěchal, ačkoli byla jeho nejmilejší ulicí, dlouhá a přímá, zářící krásným žlutavým světlem. Pohled na rozsvícenou Terronskou dědka každodenně trochu vzrušil, kdežto nejjasnější letní nebe ho nechávalo chladným. On se už dávno nedíval do nebe a nocí mu zářily jen řady plynových sluncí.

Dnes byla sobota. Neměl ji rád, protože večer lidé nespěchali z práce a postrádal ten proud lidí, směřující k osvětleným oknům. Sobota měla v sobě cosi jasnějšího než obvyklý den, měla svou dobrodružnost a naději na zítřek, ale on viděl hlavně opilce u luceren. Jak je odporně ohmatávali! A v parku pod platany by byl raději nerozsvěcoval, kdyby nemusel. Hnusila se mu každá láska od té doby, co mu ta mrcha utekla. Když viděl v parku nějakou dvojici, musel si na ni vzpomenout a zaklít. Dvojice se pak roztrhla, něco si šeptali a smáli se. Ostře cítil ten výsměch, namířený proti němu, lampáři, který rozsvěcuje, kde nemá. Ještě víc cítil po-

50

nížení zrazeného. Ta mrcha se mu smála ještě teď, po třiceti letech.

Prošel rychle parkem a znovu si uvědomil, jak ho chůze namáhá. Nežádal o penzi, protože nechtěl opustit lucerny. Měl k nim důvěrný poměr, věděl, kde je která odřená, u které zlobí hořák, kde je třeba vyměnit punčošku. Viděl v tom smysl svého života. Bez luceren byl jen penzistou, krmícím vrabce. Zatím ho také nikdo penzionovat nechtěl. Dělal dobře svou práci, nebylo stížností ani pochval. Nechválili ho, protože ho považovali za podivína, který chce vždycky mnoho punčošek. Pravda, dědek je chtěl pro lucerny, aby svítily co nejlépe. Považoval proto každé úsporné opatření za nesolidní vůči lucernám a nezapojil se do soutěže s metaři o úsporu materiálu. Myslel, že lucerny jsou od toho, aby zářily co nejjasněji.

Vyšrouboval hořák v Čínské, vyměnil punčošku, prohlédl jak svítí a chtěl projít se žebříkem zkratkou do Pětidomí. Ale nešlo to, zkratka byla ohrazená, mělo se tu stavět. Musel obejít. Křižoval ulici od lucerny na pravém chodníku k lucerně na levém chodníku, a dnes se cítil nezvykle unaven už zde. Zahnul a přišel druhé strany ke staveništi v Lermontovově. Bylo ohrazené i zpředu a v rohu stála lucerna, která se tak dostala za prkennou ohradu. Dědek napřed nevěděl, má-li ji vůbec rozsvítit. Ale tahle lucerna byla v celém ohybu jediným světlem, a bez ní tu bylo příliš tma. Přistavil žebřík, natáhl se přes ohradu, bidlem zachytil kovový kroužek, stáhl jej dolů a rozsvítil. Pak zamkl v Pětidomí žebřík a šel domů. Nemůže kvůli tomu vždycky nosit žebřík z Pětidomí, lucerna by se měla dát jinam, nebo vést ohradu jinak, aby na lucernu dosáhl bez žebříku. A u téhle lucerny už dlouho nevyměnil punčošku, začne brzy blikat.

Jak to má udělat, když ráno na stavbě ještě nejsou a večer jsou už pryč? Bude muset promluvit s úředníkem. S tím mluvil nerad, úředník byl příliš mladý a aniž si to uvědomoval, jednal se samozřejmostí, že mezi ním a metaři je jasná hranice. Dědka to trápilo i před spaním. Tolik nepříjemností najednou! Usnul a zdálo se mu, že jde nějakou rozzářenou ulicí plnou plynových svítilen, že jde jako poprvé, před třiceti lety, kdy ho ještě milovala jeho žena, a že na někoho kývá na konci cesty, kde stojí u největší plynové lucerny, zářící jako měsíc a slunce dohromady.

Když šel v neděli ráno parťák na fotbal, přiběhl k němu kluk od úředníka, že dědek v noci zemřel a že v sedmém okruhu svítí ještě teď, v deset, ačkoli už mělo být ve čtyři hodiny zhasnuto. Parťák si vzal bidlo a šel zhasínat. Lucerny svítily slavnostně zelenožlutým jasem. « Tak vidíte, holky, dědek umřel, » povzdychl si parťák, « byl to hodnej člověk, a měl vás rád. » A lucerny naposledy zářily za dědka, o poznání jasněji než jindy, s celou účastí svých plynových duší. V nádherném dubnovém ránu, zalitém sluncem, projížděly dvojice na motorce na výpadovou silnici. A lucerny svítily majestátně poslední světlo za dědka, jako čestnou stráž nesrovnatelnou se špalíry politiků a generálů. Dávaly do svého jasu žal, jenž byl smutný nejvíce svou absurdností, tím, že neměl smyslu, a vypadal trochu směšně, jako závodění s dubnovým sluncem. Lucerny stály v pozoru, motorky rachotily na výpadovou silnici a parťák pomalu zhasínal jako kostelník svíce, s pietou. Jen lucernu na staveništi musel nechat rozsvícenou, neměl klíče od žebříku. « Ať má dědek věčný světlo, » zabručel a šel na nedělní oběd.

Na staveništi v Lermontovově ulici zahoukala siréna poledne. Šestnáctiletý učeň Ferko praštil lopatou a než se siréna vyšplhala do vyšší polohy, aby tu ječela předepsaných deset vteřin, ležel už za jeřábem mezi hromadou štěrku a písku, natažen na vyvrácených dveřích. Každý den trávil tuto blaženou půlhodinku přestávky s krajícem chleba a kusem salámu. Ale dnes to bylo docela jiné, i když se na něj z odporného pondělka šklebil celý týden. Dlouhý týden, než zase uvidí Pavlínu a než s ní prožije to, co včera. Pavlína měla šestnácté narozeniny, a tak s ní šel do kina a po žurnálu ji držel za ruce. Potom utekli ostatním. Pavlína řekla, že ho má ráda a líbali se pak až do půlnoci v aleji pod platany, divoce a nenasytně. Ferko si teď znovu vybavoval, jak mu ruce bloudily po jejích ňadrech a bocích, jak se spolu tiskli k ohromnému kmeni platanu v teplé tmě dubnové noci. Nemohl na ten okamžik zapomenout, byl do něho celý ponořen, ztrácel se v něm ještě teď, když žvýkal vytrvale svůj kus salámu.

« Ahoj, Ferko, kdes byl včera? » ozval se jeřábník a natáhl se vedle. Ferkovi se zdálo, že mu to nemůže říci, že by vyzradil tajemství včerejší noci, ale chtěl se pochlubit. Jeřábník mu minulou neděli líčil, jak byl s Eliškou na motorce a co mu všechno dovolila. A potom, Ferko byl kopáč a neměl rád nádivy od strojů, kteří dávali rádi najevo svou převahu.

« V bijáku s Pavlínou, » odpověděl Ferko a ukousl si chleba.

« No a? » zeptal se jeřábník chtivě, protože Pavlína byla Eliščina přítelkyně a jemu se také líbila. Na tuhle chvíli Ferko čekal a protahoval ji zálibně, jako dítě žvýkací gumu. Předstíral, že má plná ústa a musí napřed polknout, ale zatím jen okoušel půvab okamžiku, v němž byl nadřazen jeřábníkovi, který na něho jinak hvízdal jen shora, z boudy.

« Vona mě miluje, » řekl Ferko s vážnou důležitostí. Nedůvěřivým hlasem, v němž odstiňoval každou slabiku, se jeřábník zmohl jen na « Ne-ke-cej. » « Jako že je Pán Bůh nade mnou, » reagoval uraženě Ferko, pustil chleba a zvedl tři prsty k přísaze. « Co mám udělat, abych tě přesvědčil? » Jeřábník neodpověděl. Nevěřil, ale nakonec člověk nikdy neví, měl své zkušenosti. Jako kluci rozsuzovali spory, zda někdo lže nebo ne, jednoduše tím, že domnělý lhář musel dokázat něco těžkého a pak se mu věřilo. Vysvětlil Ferkovi, že mu uvěří, když podá takový důkaz, a Ferko na to hned přistoupil, protože se mu zdálo, že s Pavlínou dokáže všechno na světě.

« Tak podívej, ty kecko, sfoukni támhle to zelený blikadlo, dyš seš takovej umělec, » a jeřábník ukázal na lucernu v rohu staveniště.

« A řekneš to polírovi? »
« Ten chrní v boudě. »
« Na kolik ran? »
« Na jednu. »

Panenko Marie, pomoz, myslel si Ferko, na tři rány by určitě trefil, ale na jednu? Lucerna byla dvacet metrů odtud a trefit neznamená ještě zhasnout tu mrkající zelenožlutou kouli, nad níž se lehce vlnil vzduch a jež vypadala tak uboze v poledním slunečném jasu. Ale když vzal do ruky kámen, jeho oblost v dlani mu připomněla Pavlínu a byl si jist, že trefí. Rozpřáhl se, kámen přeletěl malým obloukem hromadu písku, zařinčelo sklo, světlo zablikalo, zhaslo a stržená punčoška visela schlíple z hořák. „No né, tak povídej, ty zamilovanej," řekl jeřábník a Ferko začal vykládat, slovy, jež by se zdála nemístná a hrubá, ale jež měla v sobě tolik noční mystiky a poesie, kolik jí Ferko byl schopen vyjádřit slovy. A vítr si zatím hrál s bílou punčoškou plynového hořáku, která vlála bezcílně ve větru. Plyn unikal do vlahého jarního rebe a přitom lehce, skoro neslyšitelně syčel - do prázdna nad zelenou lucernou.

POVÍDKA O ZUBU

My, noví lidé objektivního zaměření, bychom se měli jistě zabývat vážnějšími věcmi, nežli je zub. Ale nicméně, zuby jsou důležité. Rozhodně alespoň pro mne. Dříve jsem totiž zub měl a teď jej nemám. Ztráta zubu patří po první lásce k mým nejhlubším životním zkušenostem. Způsobila ji vojenská příprava. Připravil jsem se na ni svědomitě, vojensky. Pročetl jsem spisy klasiků o partyzánském boji, prolistoval jsem Delbrückovy « Geschichte der Kriegskunst » a promyslil strategii největších vojenských operací od Maratonské bitvy až po Stalingrad. Také jsem si pořídil konspekty ze Švejka a ztézoval nadávky feldkuráta Katze.

Hned první den vojenského cvičení přinesl mnoho nových poznatků. Předně ten, že jsem dosud patřil k nejnevědomějším lidem, neboť jsem nedovedl dosud ani chodit ani stát. Jak naivní bylo mé domnění, že tyto věci ovládám od dětských let. Jak jsem bloudil! Vždyť teprve vojna mne poučila, že stát — toť konat důležitou funkci, zaujímat vertikální polohu v prostoru, s vypjatou hrudí, vtaženým břichem a s exaktně stanovenou vzdáleností mezi špičkami bot. Od té chvíle, co jsem se naučil chodit a stát, chovám hluboké opovržení k nevojínům, jímž vědecké zdůvodnění postoje či pochodu zůstává neznámo. Chápu nyní v plné míře opovržlivost úsloví « Ty civile! » Je to obsahově jedna z nejhroznějších nadávek. Avšak nebyl jsem obohacen jen ve sféře poznání. I můj citový život se prohloubil. Pocítil jsem totiž neznámou rozkoš, pramenící z vědomí, že člověk stojí a jedná podle předpisu. Jak jímavě na vás působí, že nejen respektujete zákony, ale že dokonce podle předpisu stojíte, chodíte a dýcháte. Tento zážitek byl tak mocný, že jsem si s dojetím uvědomil péči státu o svůj všestranný rozvoj.

Dále jsem pozoroval, jak prostředí cvičáku silně přetváří člověka. Člověk na cvičení už není vůbec člověk, jakého obyčejně znáte, ale začne se vám jevit ze zcela jiných stránek. U někoho cvičák probouzí smysl pro anekdoty, jiný z pilnosti dělá delší kroky, než je potřeba, jiný cvičí i v přestávkách. Avšak ve zcela novém světle se ukázal můj soused-filosof. Znaje ho jako člověka mírného, tichého, přemýšlivého, byl jsem nesmírně překvapen, že při slavnostním pořadovém kroku vypíná hruď až k prasknutí, jako by ji již viděl ozdobenou řadou generálských vyznamenání, že špičky jeho nohou svírají vždy předepsaný úhel a že je ve vojenském transu. Vysvětluji si to tím, že na dně jeho duše oživlo cosi, co bych nazval kaprálským přežitkem, a co se později zdatně rozvinulo, protože onen muž je dnes už majorem. Pokud byl filosof beze zbraně, nebylo mi jeho nadšení nebezpečné.

Druhý den jsme však dostali pušku. Bral jsem ji poprvé do ruky se smíšenými pocity. První myšlenka byla obecně lidská, totiž že se tím zabíjejí lidé. Druhá byla ideologická. Nedostal jsem pušku, abych ničil život, ale abych jej bránil. Třetí myšlenka byla zcela prostá. Povšiml jsem si, že puška je předmět těžký, úderný, k poškození bližního vhodný a průbojný. To jsem si měl ověřit v praxi. Učili jsme se základní pořadové cviky s puškou a základní povinnosti vojáka. Pilně jsem cvičil na doby: na řemen zbraň, nazad zbraň. V duchu jsem si počítal — raz, dva, tři — abych přesně odděloval jednotlivé úkony cviku. Náhle jsem však v tomto matematickém zanícení ucítil, že jakési cizí těleso proniká do mých úst. Rovněž na doby. Na první dobu vniklo, na dvě bylo venku. A na třetí dobu jsem téměř spolkl vlastní přední zub.

Když jsem pochopil, co se stalo, tázal jsem se nechápavě, co dělá můj soused? Patří to k povinnostem vojáka? Nebo snad nacvičujeme zvláštní povel bojového cviku na zteč? Vzápětí mě však bleskla hlavou další vážná myšlenka. Smí voják, stojící v pozoru, vyplivnout svůj vlastní zub? O tom nás vojenské řády dosud náležitě nepoučily. Dotaz se mi zdál za dané situace nevhodný. Ale předpokládal jsem stejně zamítavou odpověď. Představte si v pozoru stojící útvar, jehož členové se docela nedisciplinovaně zbavují součástí chrupu. Bez rozkazu. Kam by to vedlo? K anarchii! Zub jsem však přece vyplivl. Řekl jsem si, že dosud nejsem pod přísahou. Když jsem viděl zub ležet ve zdupané podzimní trávě, podlehl jsem dojetí. Zub tam ležel tklivě, krásný jak perla zářící svou bělostí a smutný svým osamocením. Vůbec jsem do té chvíle nevěděl, jak mám krásné zuby.

Opustil jsem pak útvar. Na cestě k ošetření jsem meditoval. Předně jsem zaujal sebekritický postoj. Musel jsem uznat, že k okolnímu dění byla má hlava nevhodně umístěna. Dále mi proběhla hlavou i temná myšlenka, že jsem totiž hledal motiv sousedova činu. Byl jsem na rozpacích, zda on — filosof — neuplatnil dogmaticky známou poučku marxismu, že po zbrani kritiky musí následovat kritika zbraněmi. Nakonec jsem usoudil, že jde o náhodu. Jak známo, náhoda je vždy v průsečíku dvou nutných procesů. A pravda, bylo nutné, aby můj soused cvičil s puškou a já abych počítal. Byly tu tedy dva nutné procesy. To souhlasilo. Nedovedl jsem však pochopit, proč se tyto dva kausálně nutné procesy musely protnout právě v mé ústní dutině. Na tak nevhodném místě pro uplatňování dialektiky. Když jsem přišel na ošetřovnu, podivili se lékaři, že nenastalo poškození měkkých částí úst a říkali, že ten voják dobře mířil, protože se trefil přesně mezi rty. Nebyl jsem téhož názoru, co se týče míření. Ale přesto mne těšilo, že i odborníci oceňují sousedovy schopnosti a podotkl jsem, že mi přece zbývá ještě 31 zubů a že tedy soused bude mít příležitost zdokonalit se, prohloubit svůj um. Dále jsem rozvinul argumentaci, že je třeba vždy hledat pozitivní stránku věci. Co kdyby byl mířil pažbou, co kdyby měl lehký kulomet, o protitankovém dělu nemluvě.

Zajímavé byly reakce lidí spatřivších mou vadu. Soudruzi přicházeli a chtěli vidět zub. Jak úpadková zvrhlost. Místo aby se těšili ze zdravých zubů, jsou ochotni obdivovat zmrzačený. Jiní projevili neuspokojení nad tím, že byl vyražen nesouměrně pouze jeden zub a že tím můj zjev nabyl na neuspořádanosti. Doporučovali v zájmu harmonie vyrazit i druhý. I zcela neznámí lidé byli schopni identifikovat mne podle chybějícího zubu. Ukazovali na mne prstem a říkali: « To je ten s tím zubem. » Opravoval jsem je v zájmu přesnosti, říkaje, že jsem naopak ten bez toho zubu. A rozhodl jsem se pomstít tomu filosofovi. Nic jsem nevyčítal, ani nežádal bolestné. Jen vždycky, když jsem ho potkal, obšťastnil jsem ho širokým úsměvem, aby vždy uzřel děsivý obraz zkázy, kterou způsobil.

KRITIČTÍ ĎÁBLÍCI

Kritičtí ďáblíci jsou tvorové, kteří člověka terorizují svými nekonečnými nařízeními, co může a co ne. Zabraňují nám olíznout šlehačku s dortu, poskakovat na ulici, hrát si, nutí nás být morálními, korektními a dobře vychovanými. Bez ďáblíků se nemůžeme pohybovat v lidské společnosti. Společenský život je vůbec možný jen zásluhou ďáblíků, protože civilizace je dílem ďáblovým. Teprve současná věda však objevila, že ve skutečnosti není ďábel symbolem abstraktního zla, démonem a běsem. Ďáblík je reálný tvor, který sídlí v našem vědomí a pečuje o jednotlivé obory naší činnosti. Tento objev má stejný význam jako objev struktury atomu a je třeba litovat, že Nobelovy ceny jsou udělovány podřadným fyzikům a lékařům, zatímco světodějný objev ďáblíků nedošel ještě uznání ani v národním měřítku. Zaostalí psychologové berou dosud málo na vědomí existenci ďáblíků, ačkoli motivy lidské činnosti nejsou ani pavlovské reflexy, ani freudovské podvědomí, ale ďáblíci, jejichž zoufalými a téměř bezmocnými oběťmi jsme my, lidé.

Toto poznání je obsaženo již v Hermovi Trismegistovi, ve slovech « cum diabolo parvo ». Matně je vyjádřeno ve středověké filosofii a první kroky k vědeckému postižení existence ďáblíků jsou u renesančních kabalistů, zvláště u Agrippy z Nettesheimu. Základy novodobého poznání je však třeba hledat v práci německého diabologa Kurta von Trottelsteina « Der Teufel in der Weltgeschichte. Ein Beitrag zur speziellen Dämonologie, mit besonderer Rücksicht zu Sachsen — Sachsen ». Thüringen 1866. Pozoruhodná je dále sociologická studie amerického profesora J.B. Blockheada, « The Devil in the Social Life », New York 1903, a francouzský esej od neznámého autora, « Le diable amoureux », Paris, Hachette 1883. Nověji se však oznamuje, že obsah těchto prací byl znám již v patnáctém století Petru Amfitrijeviči, který v Saratovské gubernii vyřezal do kůry jedlového stromu své poznatky o ďáblících. Zajistil tak i v tomto oboru prioritu ruské vědě, nedbaje nepřízně bojarů, pronásledujících velkého vlastence. Člen — korespondent Všesvazové akademie věd, Valentin Arkadijevič Tupov, poukázal správně na to, že Petr Amfitrijevič těžil z poznatků lidové moudrosti, jež se nám dodnes zachovala v úslovích: « Jděte k čertu,» « Kam čert nemůže, starou bábu nastrčí » atd. Za tyto své objevy byl v období kultu osobnosti význameněn Stalinovou cenou.

Tyto jeho názory nyní ostře kritizoval akademik Pavel Eiman, který dokázal, že objevy cenu nezasloužily, protože byly nejen známé, ale dokonce kriticky posouzeny a zhodnoceny v oktavánské composici Karla Marxe, viz Marx - Engels, Gesamtausgabe, I. Abteilung, I. Band, 2. Halbband, str. 312. Bylo tedy nesprávné přeceňovat nacionalistické velkoruské hledisko, dokazoval soudruh Eiman, také proto, že Petr Amfitrijevič byl po matce nearijec. Soudruh Eiman v letech kultu ovšem naopak vystupoval velmi rozhodně proti podceňování ruské diabologie. Existenčně zničil starého zasloužilého cestovatele, který napsal velkou monografii o představách ďábla u středoafrických kmenů, avšak byl Eimanem nařčen z kosmopolitismu, protože nevzal v úvahu jihočeské pověsti o zmokovi a valašské skřítky. Cestovatelova pozorování odporovala též hledisku jistého akademika, vyjádřenému v jeho spise o rozšíření pltavky hltavé v českém třetihorním krasu, a to v poznámce pod čarou na straně 215. Protože se ukázalo, že ubohý cestovatel o ní ani nevěděl, byla jeho práce odmítnuta jako neseriózní.

Hlavní argumentace Eimanova nebyla však založena na pouhém empirismu. Eiman odhalil praktická nebezpečí, jež vyplývají z nacionalistického hlediska, takže tu vlastně šlo o vážnou úchylku. Nato vyhlásil boj na dvě fronty, ale nebojoval na žádné, protože číhal na úchylky. Ve vědecké diskusi, která z toho vznikla, se shodli všichni na tom, že kult osobnosti přinesl diabologii četné škody, že je nutné více se věnovat výrobní činnosti drobných ďáblíků a nechápat historii jen jako činy Belzebuba. Byl schválen návrh, aby se práce koncentrovala na klíčový problém vztahu ďábla k rozšíření pltavky hltavé v českém třetihorním krasu, což přijal známý akademik se slzami v očích, řka: « Kdyby se té slávy dožila má pltavka hltavá. » Tři dny po tomto rozrušení skonal, ačkoliv nebyl méně senilní, než ostatní. Tisk psal s dojetím o jeho zásluhách v české vědě a jeho žák, starší profesor na fakultě, napsal dojemný nekrolog, ačkoli bylo známo, že na smrt svého učitele čeká již dvanáctý rok. Jelikož však nebylo jiného odborníka na pltavky a profesor ovládal dokonce celou čeleď hltnopltných ve čtvrtohorách, byl jmenován na místo zemřelého. Svou úvodní přednášku nazval: « Můj přínos českému pltání. Ke kritice názorů zesnulého akademika na hltavku královskou /voratrix-regula/. »

Po zásahu Pavla Eimana se rozvinula diskuse o demonologii, jež měla velmi slibný průběh. V novinách se objevily zásadní stati o úloze ďáblíků v zaostávající teorii a bylo dokázáno, že právě oni způsobují schematickou šedivost a dogmatické zkreslení. Bylo tu však mezi řádky naznačeno, že sami řadoví ďáblíci nevysvětlují toto zkreslení, jež má určité společenské podmínění, což byla zahalená narážka na démonickou podstatu ministra kultury. S tím však projevil zásadní nesouhlas týdeník Tvorba, jehož redaktor dokázal, že takové názory čpí na sto honů revizionismem, že se nikdy nevzdáme názorů klasiků na ďáblíky a že budeme ostře bojovat proti svévolnému zaměňování ďáblíků se satanáši. Tato ideově cizí tendence směřuje proti podstatě vědeckého názoru na svět, obnovuje hanebný fideismus a víru v buržoazní přízraky, zatímco je možno věřit jen v přízraky socialistické. Redaktor napsal ještě mnohé další stati, protože byl zavázán zmíněnému ministrovi za byt ve vile. Kromě toho se považoval za ministrova známého, protože mu ministr kultury jednou nabídl cigaretu a zeptal se, co dělá jeho holčička, ačkoli redaktor měl čtyři kluky. Všichni

teoretikové byli zajedno, že článek v Tvorbě byl podlý,
ale nikdo to nenapsal, takže projevený názor platil jako
směrodatný. V souhlase s tím poslal krajský výbor
ČSM v Ústí protestní rezoluci Literárním novinám.
Doporučil časopisu, aby se více věnoval otázkám ďá-
blíků v ústeckém kraji, zvláště v oblastech povrcho-
vých dolů. Navrhl též ministerstvu vnitra, aby Ďáblice
byly přejmenovány na Kněževes. Ministerstvo to při-
jalo a provedlo, ale zároveň přejmenovalo obec Kněže-
ves na Ďáblice.

Brzy po té se konalo na filosoficko-historické fakul-
tě v Praze zvláštní zasedání, věnované problematice
ďáblíků v jednotlivých vědních oborech. Zahajovací
projev děkana fakulty podal podrobnou analýzu opery
« Čert a Káča » s hlediska marxistické demonologie a
velmi přesvědčivě ukázal na národní osobité rysy v
pojetí ďábla v naší hudbě, na jeho blízkost lidu a ná-
rodní buditelské tradici. Proto se teprve nyní dostává
našemu čertu tak vřelého ocenění v cizině, jak o tom
svědčí inscenace « Katjuscha und der Tefuel » v NDR.
Po tomto úvodu vystoupil historik, jenž dokázal, že
vědecká periodisace českých dějin nejen neodporuje
existenci ďáblíků, ale přímo ji předpokládá. Filologové
přinesli nové objevy ze středověké lyriky, zejména
dovozovali, že klasická památka « Andělíku rozkocha-
ný, nade všechny převýborný » je v nových souvislos-
tech klenotem české literatury, protože odráží symbo-
lickou formou zaujetí našeho lidu pro dobro a odpor
proti imperialismu. Další referát měl filosof, který do-
kázal, že historický materialismus musí být obohacen
novými poznatky, neboť obsahem světových dějin ne-
ní ani třídní boj, ani vývoj absolutní ideje, ale boj ďá-
blíků.

Nebudu vás déle unavovat historickou stránkou
otázky a přímo vám řeknu výtěžky současné doby.
Ďáblíci jsou jacísi byrokrati, řídící autoritativně naše
činy. Každý má na starosti určitý okruh otázek, jež
spravuje naprosto svědomitě, pečlivě a korektně, se
strašlivou důsledností úředníka na Kafkově Zámku.

Ďáblíci mají přesně vymezenou kompetenci, systematizovaná místa v šedé kůře mozkové a nejvýznamnější z nich sídlí v čelním laloku. Pro každou činnost, které se člověk podrobuje z vnější nezbytnosti a kterou nedělá spontánně, máte určitého ďáblíka. Tak ďáblík slušného chování nás nutí usmívat se na nepříjemné lidi, říkat « ale vůbec mne nezdržujete », když právě spěcháte, a neříkat lidem, co si o nich myslíme. Kritický ďáblík cenzuruje dopisy, vyhání nás brzy ráno z postele a vůbec znesnadňuje život. Ďáblíci řídí chod našeho života naprosto suverénně, protože lidé se jim nakonec vždy bez reptání podrobí.

Smrtelnými nepřáteli ďáblíků jsou děti bez výjimky, studenti, milenci a básníci, kteří nejsou laureáty. Děti proto, že dělají zásadně to, co nesmějí. Když onehdy vyhodila tříletá Káťa květináč z okna, byl jsem zvědav na motiv jejího činu a s překvapením jsem shledal, že Káťa žádný motiv neměla. Kromě jediného, totiž kromě zájmu o to, vidět jak padá květináč z třetího patra, tedy kromě nádherného dobrodružství poznání, na něž dospělý vůbec nemůže sám přijít, leda v nějakém záchvatu zuřivosti. Děti ještě neovládá ďáblík, ale přirozená potřeba svobody. Chce se mi shodit květináč, tedy jej shodím, to je logika, kterou ďáblíci všech stupňů nesnášejí. Ale v dětském světě by bylo nebezpečné žít mezi padajícími květináči. A tak uzavírají dospělí spiknutí proti dětem a vsazují dětem do hlav ďáblíky, kteří se rychle množí ve školním prostředí. Školy jsou démonické instituce ke kultivaci ďáblíků v docela vzrostlé démony a nejdokonalejší zďábelštění pak poskytuje universita, která běžného smrtelníka učiní navždy neschopným vzpoury. Připoutá ho k nějakému úplně zbytečnému úkolu, třeba aby počítal celý život parní stroje v českém království, přičemž je nadosmrti nešťasten, že mu nesouhlasí skutečnost se statistikou, protože dva parní stroje beznadějně chybějí.

Dalšími úhlavními nepřáteli ďáblíků jsou sice lidé dospělí, ale ne dosti podrobeni vládě ďáblíků, takže se stále ještě mohou vymknout z jejich nadvlády a provádět nepředložené činy. To se děje přirozeně ponejvíce mladým lidem, kteří dovedou občas zorganizovat kruté porážky celým vojskům démonů, početnějším, nežli byly šiky z Apokalypsy. Ale principiálně je možná revoluce proti ďáblíkům vždy, máme-li dost odvahy a trochu ducha. Tím se dostáváme ke vztahu ďáblíka k lásce. Ďáblíci jsou jejími ničiteli, systematickými a zpravidla úspěšnými. Vědouce, že se této síle nemohou ubránit, snaží se jen udělat vše, aby ji udrželi v jakýchsi přijatelných kolejích. Mstí se na lidech institucí manželství a tím, že do zdravé smyslnosti normálního člověka kapou jed. Konečně básníci jsou proti ďáblíkům imunní. Právě proto Belzebub vymyslel státní ceny, aby se básníkům pomstil. Je humorné vidět, jak člověk, jehož normálním stavem je myšlenkový průjem, odměňuje myslitele státní cenou. Zďábelštění české literatury je pod vlivem státních cen tak dokonalé, že se český učitel stal přirozeným spojencem ďáblíka, jsa k tomu nucen existenčně profesionálními zajmy. Tak české učitelky jsou posledními čtenářkami veršů Pavla Kohouta, z nichž přímo čiší démonismus autora, prokládaný ofenzívně-výchovnou erotikou, jež by se měla číst za trest vězňům za chlípnost. Tyto nedostatky odstraní nová školská reforma, která podle návrhu pionýrské skupiny žáků obecné školy zavede tyto nové osnovy výuky dadasofie:

1. *školní rok*: Chytání myší a rozšiřování těchže mezi spolužákyněmi. Zardoušení slepice: a/vlastní, b/cizí, c/školníkovy. Skupinové ničení drůbeže hodem kamenem. Kaňky prosté a soustavy kaňkové na nedělním ubruse. /Spojte s estetickou výchovou./ Vrh květináčem z vyšších pater školní budovy.

2. *školní rok*: Rozbití okna kamenem. Totéž s útěkem. Kladení napínáčků na židle: a/spolužákům, b/učitelům, c/rodičům. Nadávky a sprostá slova. Použití jich v písemných pracích, zejména v anonymním dopise řediteli. Rytí nadávek do lavic.

3. *školní rok*: Kladení praskavých kuliček do cesty penzistům /jen pro pionýry/. Zničení růžových záho-

nů ve školní zahradě /pod vedením ČSM/. Týrání koček /pro pokročilé žáky/. Střelba namočenou houbou po náhodných pouličních chodcích. Prosté ničení.

4. *školní rok*: Přivolání hasičů poplašným zařízením. Totéž, soustavně procvičované kolektivem. Kouření na záchodě /povinné/. Kresba oplzlostí tamtéž. Souboj modely. Záplava učebny vodou. Provedení výbuchu ve fyzikálním kabinetu. Rozšiřování mylných zpráv o úmrtí ředitele školy. Inscenace pohřbu školního inspektora, provedená za jeho pobytu na školení.

5. *školní rok*: Vybírání ptačích hnízd s výměnou vajec v samoobsluze. Trvalá noční služba k neustálému telefonickému buzení matikáře /skupinový úkol/. Mazání klik veřejných místností dehtem a jinými těžko smývatelnými látkami. Zasílání nevyplacených zásilek kamení předním činitelům obce. Úvod do četby pornografií /výklad A. Jiráska/. Konstrukce pekelných strojů. Organizace chaosu při masových projevech.

6. *školní rok*: Organizace masových vystoupení pod těmito májovými hesly: Soudruzi Kondelíci! Vzhůru na pivo!

Potápěči! Do hlubin!

Údržbáři! Udržte se!

Cibuláři! Jeďte a cibuličku vezte!

Milenci! Soutěžte v délce, trvání a počtu milostných cviků!

Studenti! Vpřed za rozšíření zmatku v řadách našich občanů!

Ředitelé! Ještě důsledněji organizujte chaos v našem hospodářství!

Cizoložníci! Za masovost, za rekordy!

Růže! Ještě více voňte ve prospěch našich zahálejících!

Bábovky! Žádejte důslednější pocukrování!

Dalajlámové! Lajte dámám!

Dudáčku! Zadu zadudej, zadu zadudej!

7.-9. *školní rok*: Individuální uplatňování poznatků v životě, zejména ve funkcích. Viz další učebnici dadasofie, která ukazuje, jak pevně zapouští dadasofie kořeny v našem životě a ve všech vrstvách národa.

HAJAJA FILOSOFEM

DIALEKTICKÝ MATERIALISMUS PRO ŠKOLY MATEŘSKÉ

Věnováno památce prof. Dr. Jaromíra Hrbka, DrSc., člena Čs. akademie věd a ministra školství ČSSR.

Metodická poznámka: Učebnice dadasofie /schváleno jako pomůcka pro mateřské školky, pod čís. 328 /MŠÚ/ byla již dlouho naléhavou potřebou našeho kulturního života. V době kybernetických objevů a kosmonautiky je nemyslitelné chtít dostát našim vzrůstajícím úkolům bez hlubokého a vážného studio výsledků soudobé dadasofie. Budování vyspělé socialistické společnosti, zejména v takové zemi, jako je naše, se neobejde již ani minutu bez prohloubené znalosti dadasofie. Vliv této nauky na široké masy neustále roste; její živelný růst musí však být více usměrňován a řízen, aby se dadasofický postoj ke skutečnosti stal kulturním majetkem všeho našeho lidu. To je i úmysl nedávného projevu předního činitele hnutí, soudruha Pipidady, který v projevu na zasedání prohlásil: « Da, da, Sofie, » načež odletěl do Bulharska, aby stvrdil spojení teorie s praxí. Musíme bohužel přiznat, že v období kultu osobnosti bylo studium dadasofie značně zanedbáno, a že nepříznivý vliv tuto disciplínu ochromoval. Tím spíše považujeme za nutné, aby se budoucí generace obeznámily se základy dadasofie již v mládí a aby metodické působení školní výchovy pěstovalo pochopení pro novou vědu již od kolébky. Osvojit si základní pojmy může ovšem dítě jen tak, že přiblížíme vědecké základy způsobu dětského myšlení. Proto zvolil kolektiv autorů vnější formu Hajajových pohádek, jež však nejsou samoúčelnou hrou, ale metodicky vštěpují našim nejmenším základy vědeckého světového názoru. Nechť nejsou jediné jesle a jediná školka, kam by nedolehla veliká myšlenka dadasofie, tak nezbytně nutná pro šťastný život nás všech! Vpřed český učiteli, vpřed za velikým vzorem Jana Amose Komenského, jehož Pandadasofie je nám dodnes vzorem! Dadasofie naše cesta — dadasofie náš cíl. Da, da.

Sofie

O ZÁKLADNIČCE A NADSTAVBIČCE

Byla jednou jedna základnička a ta měla sestřičku nadstavbičku. Jednou šly na procházku, ale nadstavbička nebyla vůbec hodná. Buďto šla před základničkou, nebo se coulala za ní. « Ty, ty, nadstavbičko, že se ode mne odtrhneš, když budeš tak předbíhat, » varovala ji základnička. Ale nadstavbičce to bylo jedno a řekla: « Ajci, ajci je ze mne třeba zaostávající nadstavba, vedle tebe skákat nebudu, víš? Já jsem nadstavbička a dělám si, co chci, a nemusím se nikoho držet za ruku. Copak jsi nečetla klasiky, ty hloupá základno? » A hop, do příkopu. « Počkej, já to na tebe řeknu soudruhovi předsedovi, jaká jsi, » pohrozila jí s pláčem základnička. Ale neřekla nic, protože se bála, že by se na ni mohlo taky leccos donést. A tak jdou a jdou, základnička pěkně šlape na silnici a nadstavbička je tu v příkopu, tu vpředu, tu vzadu, tu zase uprostřed silnice. Až vám z toho, milé děti, přecházel zrak. Ale co se nestalo. Nadstavbička zůstala najednou stát a dál že nepůjde a ne a ne a ne. « Tak já tedy půjdu dál sama, » řekla základnička. « To daleko nedojdeš, povídá nadstavbička, protože věděla, že základnička nezná cestu a že je bez ní nemožná holka. « A neotravuj mě a jdi k čertu. » A základnička tedy k němu šla a ještě z dálky křičela, že všechno řekne soudruhovi předsedovi, až tam přijde. Ale stejně tam nedošla, protože ztratila cestu a zabloudila.

Nadstavbička se zatím posadila do trávy a bylo jí hej. Dělala, co chtěla, trhala květinky a zase je zahazovala, jedla nezralé višně, házela kameny po slepicích, hodně se ušpinila, courala se v potoce a strčila si fazole do uší, aby nemusela nikoho poslouchat. To bylo něco, panečku. Začala se velice opožďovat, a bylo jí náramně dobře. Ale pak přišel večer. Nadstavbička byla sama, byla špinavá, hladová, bylo jí zima a fazole jí v uších tak bobtnaly, že je nemohla vyndat. Rozplakala se a nevěděla, co počít. « Kdyby tu jen byla má dobrá sestřička základnička, kterou jsem poslala k čertu, » říkala si nadstavbička a hned začala hledat. Rozběhla se za ní a brzo našla základničku, která stejně věděla, že nadstavbička přijde, až nebude mít co jíst. A když se sestřičky shledaly, měly velkou radost a šly dál v jednom šiku. Základnička věděla, že teď už nebude bloudit, a nadstavbička věděla, že se naj20. Jen nevěděly co s těmi fazolemi v uších. Tak tedy šly k soudruhovi předsedovi a ten nadstavbičku vyléčil. Dal jí zprava takový pohlavek, že vyletěla fazole z levého ucha, a potom naopak. Řekl jim při té příležitosti, že právě v tom se projevuje jeho vedoucí úloha, kterou nesmějí podceňovat, ale kterou musí střežit jako kuří oko v hlavě. Slzíc, děkovala nadstavbička za pomoc a zapřísahala se, že se už nikdy nebude opožďovat a trápit svou hodnou sestřičku základničku. « Tak, milé děti, » řekl soudruh předseda, « a teď zase běžte obě pěkně spolu. » A základnička s nadstavbičkou se vzaly za ruce, slíbily, že půjdou pěkně po přímé linii, žádné úchylky do příkopu a daly se na cestu.

Jenže za nějaký čas vám začala základnička pokulhávat, napřed málo, pak víc, a pak už ani pořádně chodit nemohla. Jen plakala a plakala a prosila nadstavbičku o pomoc. « Nadstavbičko, sestřičko, pomoz mi. Chodit nemohu, pokulhávám, nožičky mi neslouží. » Ale nadstavbička zapomněla na ty pohlavky od soudruha předsedy a tak se jí nechtělo něco vymýšlet. Nakonec se ozvalo její dobré srdce, protože si řekla, že by z toho mohla mít prospěch. « Nebudeš mne už nikdy poroučet, co můžu a co ne? », zeptala se. « Nebudu, » odpověděla základnička, « můžeš si strkat fazole do uší, můžeš házet kameny po hloupých slepicích, můžeš se ode mne odchylovat, jak chceš, můžeš všechno, jen mi, prosím tě, pomoz, nebo umřu, » slibovala základnička.

A tak nadstavbička prohlédla základničce nohy a uviděla, že má jen vyvrtnutý kotník. Zastavila cizí auto, naložila základničku, odvezla ji domů a zanedlouho byla základnička zase jako rybička. Šla se také zeptat soudruha předsedy. Ten říkal, že musí uříznout základničce obě nohy, protože neposlušné nohy se nemají léčit, ale trestat. Nadstavbička mu za to nenápadně nastražila fazoli na schody, takže předseda upadl a vyvrtl si kotník. Uplatnil své zásady sám na sebe, uřízl si nohy a brzy umřel. A co z toho vyplývá? Nadstavbičky, nestrkejte si fazole do uší, nebo dostanete pár pohlavků. Základničky nekulhejte, dejte si poradit. A předsedové — pozor na fazole!

IDEOLOGICKÁ JEDNOTA

Jeden pán měl dva papoušky, zeleného a žlutého. Zelený papoušek dovedl říkat « Dobrrý den » a žil v malé kleci. Žlutý dovedl říkat « Sakrrra » a žil ve větší kleci. Jednoho dne si pán koupil velikou klec. Dal oba papoušky do jedné velké klece, protože mu dvě malé zabíraly příliš mnoho místa. « Vidíš, dostali jsme větší klec, protože se chovám zdvořile a nenadávám, » pravil zelený papoušek « Vždyť svoboda je jen pochopením nutnosti být zdvořilým a nenadávat. » « Nesmysl, » odpověděl žlutý, « papoušek musí být drsný, chce-li něčeho v životě dosáhnout, například větší klece. Svoboda tkví v pochopení nutnosti být drzý a nadávat, sakrra. »

Zanedlouho si pán koupil červeného papouška, který byl právě dovezen z tropů. Papoušek byl velmi krásný, ale neuměl mluvit. Pán ho donesl domů a dal ho do klece. Žlutý se zeleným se dohodli, že z nového obyvatele klece udělají kultivovaného ptáka a naučili ho mluvit. Aby však nebyl moudřejší než oni, naučili ho říkat jen polovinu toho, co sami znali. Červený papoušek se tedy naučil říkat « Sakrrrden » a « Dobrra, » takže překvapil i pána. Má perspektivy růstu, řekli si papoušci. Když seznámili hosta se svým způsobem života, dali se z dlouhé chvíle do metafyziky.

« Řekni nám, co je svoboda, když jsi přiletěl z tropů, » vyzvali červeného papouška. Ten jim odpověděl: « To nevím, ale létal jsem, kam jsem chtěl. » « Dovol, to jsi přece nebyl svobodný, kde bylo pochopení nutnosti?, » podivil se žlutý papoušek. « To by se u nás netrpělo. A jak velkou jsi měl klec? » « Nevím, co je klec, » odpověděl červený papoušek, « ale je-li klec to, v čem vy žijete a co mne omezuje v letu, pak v tropech klec není. » « Nehoupej nás laskavě, červený papoušku, » řekl žlutý, « chceš-li říci, že jsi žádnou klec neviděl. Ale to jen prokazuje tvou necivilizovanost. Podstata se nemusí krýt s jevem, ha! » A zelený dodal: « Copak papoušci mohou žít jinak než v kleci? Klec je podstatnou částí papouščí existence. Pro papouška existovat znamená být v kleci. Bez papoušků by nebylo klecí a bez klecí by nebylo papoušků. Je vidět, že neznáš teorii uzavřeného vesmíru. » Ale červený papoušek trval na svém: « V tropech opravdu není klec. Ale jsou tam zvířata, která papoušky žerou, dravá zvěř. » « Fí, ten ještě věří na dravou zvěř, » smál se zelený. « Jak odporné přežitky minulosti. Copak jsi někdy opravdu viděl dravou zvěř? » « Ano, » odpověděl červený. « Jsou to hrozně veliké obludy, které žerou papoušky za živa, například kočky. » « To jsou jen přeludy subjektivní psychiky, my jsme nic takového nikdy neviděli a žijeme tu již pěknou řádku let, viď, žluťásku? » tvrdil zelený. « Samozřejmě, » odpověděl žlutý, « dravá zvířata jsou přežitek minulé sociálně ekonomické formace, podobně jako bozi a strašidla. Kdo v ně věří, pokládá jen za omyly své psychiky za objektivní realitu. » « To je možné, » připustil červený papoušek, « nezvykl jsem si ještě na svobodu klece a na váš kulturnější způsob myšlení. Létal jsem v tropech, kam jsem chtěl, a vyhýbal jsem se dravcům. Když jsem měl hlad, zobal jsem zrní, když jsem měl žízeň, pil jsem vodu z potoka. » « Vidíš, » řekl žlutý, « teď máš svobodu žít v kleci, a máš demokratická, rovná práva na krmítko, na přeskakování s bidélka na bidélko a právo na semenec. Jsou to ústavně zaručená práva. »

« Ale co když pán zapomene krmítko naplnit? Nebo když zemře? » zeptal se tropický pták. « Nemáš důvěru v naše zřízení, » odpověděl zelený, « a kromě toho je pán nesmrtelný. » « Aha, mohu tedy i zde dělat, co chci, » zvolal vesele červený papoušek a skočil na protější bidélko mezi zeleného a žlutého papouška, div oba nespadli. « Co blázníš, sakrrra, dobrrrý den, » začali oba křičet. « Využívám svá demokratická, rovná, ústavně zaručená práva, » odpověděl obyvatel tropů. « Ale vidíš přece, že nemůžeš skákat, sedíme-li na bidélku my. » « O tom v ústavě nic není, co je tedy mé právo? » odporoval červený a znovu hup na bidélko. « Po tom nám nic není, » odpověděl žlutý se zeleným, « ale máme právo klovnout tě do hlavy, aby sis odvykl své divošské mravy. Na takovou svobodu nejsme zvyklí. Svobodu skákat máme jen my, tvoje svoboda vyplývá z našeho souhlasu. A protože jsme kulturní, nestrpíme porušování svobody. » A klovli červeného papouška do hlavy tak důkladně, že pochopil demokratičnost zřízení klece a chcípl.

Když pán uviděl mrtvého papouška, řekl: « Ubohý pták, zemřel z touhy po svobodě. » A rozhodl se dát svobodu i zbývajícím dvěma. Vyhodil je z okna a povzdechl si: « Jaký jsem to humanista. » Žlutý papoušek letěl neustále dál, protože chtěl najít, kde končí klec a kde je bidélko. Byl unaven a toužil po kleci, kde by si odpočal. Nemoha nalézt ani bidélko ani semenec, zemřel, vzpomínaje na svobodu své klece. Zeleného papouška sežrala kočka, když se jí snažil vysvětlit, že dravci jsou přežitky minulosti. Když se pán dozvěděl o smrti papoušků, vlezl do klece, poskočil s bidélka na bidélko, řekl: « Sakrrrden, » a jestli neumřel, tak tam, milé děti, sedí podnes.

MASOVĚ POLITICKÁ PRÁCE

Milé děti! Jednou, není tomu dávno, když zase nebyla zelenina na trhu, bylo rozhodnuto, že už to tak dál nejde a že je třeba svolat aktiv zelenin. Úvodem promluvil tuřín, pevně a zásadově proti zastaralým metodám pěstování zeleniny. Vyzvedl, že všechny nedostatky je možné překonat, budou-li zeleniny pevně přimknuty k němu, k tuřínovi. To neřekl přímo, ale hovořil tím horlivěji o pevném spojení se zemí. Neváhal pranýřovat karfiol — který mimochodem byl velkou vzácností — jako představitele staré, dohnívající veleniny, povyšující se nad zem, z níž vyrostl. Tuřín dokonce přímo prohlásil, že půda již dále nestrpí, aby intelektuálské tendence nějakého karfiolu narušovaly solidaritu zelenin, jež svorně rostou v teplé tmě mateřské půdy, zatímco karfiol se zcela bezostyšně povaluje na světle. Karfiol je odporný osvícenec, nedbající ostatních pokrokových tmářů, ba není mu svatý ani výrok klasika rostoucích zelenin celého světa, jenž před vytržením ze země pronesl slova: « Více tmy! » Světelné tendence je třeba beze zbytku vymýtit mezi našimi rostoucími, burácel zlověstně tuřín a varoval všechny naše rostoucí před záludnou a licoměrnou formou, jakou touha po světle nabývá, neboť se zdá jakoby plně konformní s vládnoucí tmou. V tomto bodě měl tuřín úplnou pravdu, neboť ani sám karfiol se neodvážil otevřeně přiznat, že je mu na vzduchu dobře, že má rád vítr, že miluje sluneční paprsky a pečlivě udržoval vnější zdání, že je spolehlivý tmář, jejž jen určité životní okolnosti dělí od teplé tmy mateřské hlíny. Na veřejnosti vždy tvrdil, že nad zemí je pouze šero, že je velice nepříjemné být vystaven klimatickým změnám a že to není žádný med být v diplomatických službách.

Po tuřínovi vystoupila okurka s referátem, v němž napadla ostře nepůdní názory, hlásané v poslední době, že by totiž mohla zelenina růst i bez aktivů, což je nebezpečná nepřátelská propaganda, páchnoucí velezradou. Se slzami v očích pak vzpomínala na tvrdou minulost, z níž však vyvedla zdravé a sebevědomé okurky, žádná skleníková nedochůdčata. V diskusních příspěvcích upozornil pak brambor na rostoucí význam masovosti a protestoval proti delikatesám, zejména proti chřestu. Nato vystoupil chřest, aby upozornil na rostoucí význam delikatesních zelenin a aby protestoval proti přeceňování masovosti, zejména brambor. Kompromisní stanovisko v tomto sporu zaujala dýně, když poukázala na vzrůstající životní úroveň, zaměňujíc svůj objem za všeobecný růst.

Pak kritizoval česnek nesprávné metody práce a protestoval, že je skladován tak dlouho, až stoupne jeho cena, to že odporuje zásadě péče o člověka, protože česnek si přeje být konzumován spotřebitelem pravidelně po celý rok. Cibule kritizovala nedostatky v odívání a pozastavovala se zejména nad tím, že dosud někteří lidé považují šaty za pouhou slupku. Varovala před takovým posuzováním věcí, neboť slupky tvořily vždycky podstatu věcí, jak je notoricky známo každému, kdo alespoň jednou splakal nad cibulí.

Meloun potom prohlásil, že je pro něj krajně ponižující být prodáván jen za podmínek, že spotřebitel odebere i řípu pro dobytek. Někteří městští spotřebitelé totiž zlomyslně prohlašují, že dobytek nemají. Navrhoval, aby se opatřil dobytek v zájmu melounů, podle zásady « Do každé domácnosti krávu ». Je-li totiž dobytek, může si spotřebitel koupit řípu, zvýší se zájem o melouny, takže zásluhou dobytka se upevní zdraví národa.

Mrkev se uprostřed svého příspěvku rozplakala, protože se jí zdálo, že ji nikdo nemá rád, ani školní děti ne, ačkoliv je levná a zdravá. Vyčítala to zejména banánům — zápaďákům — kteří dráždí svou exotičností a vzácností, ačkoliv mezi mrkví a banánem není v podstatě žádný rozdíl. Na tomto místě tuřín velmi tleskal.

Celer, který proslul svou pověstnou pitomostí, upozornil, že zeleniny by neměly být pod váhu, ale postavil svůj příspěvek tak neobratně, že tuřín v něm spatřoval záměrnou ironii. Pochopil celerův příspěvek jako zásadní kritiku, horlivě si ji zapsal do sešitu, aby ji mohl vyvrátit, ale protože se teď' nevědělo, zda tuřín píše proto, že souhlasí, nebo proto, že nesouhlasí, zeleniny mlčely. Jednak proto, že byly samy pod váhu, jednak proto, že nebyly pitomé jako celer.

V závěrečném slově vystoupil znovu tuřín a pravil, že diskuse prokázala semknutost drtivé části zelenin okolo půdy, zejména kolem jejího osvědčeného, zdravě prohnojeného jádra. Uvedl též, že v kritických situacích zrádci vždy přebíhali k ovoci, jak známo z dějin spřátelené plantáže, která je nám vzorem. A víme také, jak tyto pokusy skončily, zahřímal tuřín, až se všichni přikrčili.

Když aktiv skončil, přijaly zeleniny rezoluci o urychleném růstu a rozešly se růst. A kdybyste náhodou neměli zeleninu, tak se, milé děti, nezlobte na ty neuvědomělé zeleniny, které nechodí na aktivy a podceňují masovou práci.

ÚLOHA OSOBNOSTI V DĚJINÁCH
čili o hloupém vrabci

Byl jednou jeden vrabec a ten byl blbý. Ani létat se pořádně nenaučil. Proto žil v hnízdě dlouho poté, co ostatní vrabci už dávno opustili hnízdo, a cvrlikal s velkými obtížemi na čtyři minus. Ale jinak se choval klidně, takže s ním Svaz vrabčí mládeže byl spokojen. Ani později ve škole neměl obtíže, protože paní učitelka poznala, že vrabec je blbý, a nedávala mu poznámky do žákandy prostě proto, že jejich smysl zůstával vrabci nepochopitelný. Dětství prožil tedy náš vrabec tak, že nikdy úmyslně nerozbil okno, netýral zvířata a nešklebil se za zády paní učitelky. Byl ve své blbosti štasten.

Když dorostl, dali ho na místo nočního hlídače zásob, protože tak nepřicházel příliš do styku s lidmi a byl příliš hloupý, než aby kradl. Po pravdě řečeno, konal vše, co mu bylo uloženo, s příkladnou pečlivostí, a protože mu ostatní chtěli ulehčit jeho veřejně známý úděl obecního blba, chválili ho. Nabádali vrabečky, aby se mu nesmáli, neboť jsou ještě moc a moc mladí na to, aby posuzovali dospělé. Děti věděly, že vrabec je blb, a říkaly si to mezi sebou, věděly dokonce, že dospělí mají stejné názory, když hovoří mezi sebou a myslí si, že je děti neslyší.

Když jednou večer hloupý vrabec popolétával pomalu domů, ztratil se na střeše protějšího činžáku, protože si spletl novou televizní anténu. Setmělo se, vrabec nevěděl kudy kam, až konečně vlétl omylem do pracovny vědce. Sedl si mezi knihy a usnul. Když vědec přišel domů a viděl vrabce mezi knihami, vzal ho do dlaně, dýchal naň, dal mu drobky a vodu. Vrabec se nažral, zacvrlikal a zase usnul. Nevěděl, zda je v bezpečí nebo v nebezpečí, a bylo mu to také jedno, protože byl blbý a myslel na zítřejší inventuru ve skladu zásob. Ráno odletěl. A tím to všechno začalo.

Nejchytřejší vrabec z ulice se byl večer podívat na tu novou anténu. Ocenil, že je dobře zaměřena, a hned vyzkoušel dráhu letu z nové antény na přilehlé komíny, aby nazítří mohl dominovat mezi ostatními zvědavci. Najednou ale viděl, jak blbý vrabec letí do okna vědce, kterého chytrý vrabec tajně obdivoval. Viděl, jak s hlupáčkem vědec hovoří, dává mu pít a hladí ho v ruce, ukládá ho mezi knihy. Byl z toho celý zkoprnělý a čekal do rána, co se bude dít. Nedělo se nic, protože blbý vrabec odletěl do skladu, aniž pochopil, že vědci se bude stýskat.

Chytrý vrabec si okamžitě utvořil názor, že blbý vrabec jen předstírá svou prostotu, kdežto ve skutečnosti rozpráví s lidmi. Dokonce i vědci poslouchají rádi jeho cvrlikání, takže je vlastně mudrc mezi vrabci. A hned šel za bratry blbého vrabce, aby se na to vyptal. Ti mu řekli: «Byl blbý, ale rád zůstával v hnízdě.» « Ha, » myslel si chytrák, « bodejť bude génius létat. » Paní učitelka mu řekla: « Byl ve škole blbý, ale nezlobil. » « Chacha, ten na tebe vyzrál, ty účo hloupá, » myslel si chytrák. A hlavní skladník mu řekl: « Je to notorický blb, ale nemůže nic zkazit. » Chytrák byl přesvědčen, že byrokrat netuší, jakou vzácnou osobnost hostí jeho sklad, a viděl v duchu pamětní desku, zasazenou na okresní skladiště. A protože je vrabec vrabcem, tak o tom začal cvrlikat a všechno se rozhlásilo po celé ulici. Bratři si řekli: « Hm, génius. » Ale protože odlesk slávy padal i na ně, byli rádi a jen litovali, že oni se létat naučili. Paní učitelka se nechtěla blamovat ve svém pedagogickém bystrozraku, a tak rozhlásila, že to byl už ve škole neobyčejný chlapec /což byla pravda/, a na důkaz ukazovala jeho žákovskou knížku, kde nebyla ani jedna poznámka. Hlavní skladník pořídil pamětní desku, protože sám kradl, měl manko a správně tušil, že takto bude moci krást ještě lépe, neboť sklad musí být vzorným pracovištěm.

Nakonec hloupého vrabce zvolili presidentem, a protože v něm viděli vzor moudrosti, zařídili výuku i práci vrabčákům podle toho, aby se vrabci odnaučili létat, setrvávali v hnízdě a byli tupí. Rychle se jim to podařilo. V druhé generaci už bylo málo jedinců, kteří ještě dovedli létat, a zobat na svůj účet se považovalo za nesvědomité. Každý chtěl být skladníkem, avšak po pravdě řečeno, nikoli z blbosti, ale proto, aby jeden byl blíže obecním skladům zásob, jež se však velmi ztenčily, protože se většina dřívějších individuálních sběračů a samozásobitelů stala výzkumnými pracovníky. Ústavu pro sběr živin a organizovala lety nejvyspělejších vrabců za zobem jako národní kampaň hrdinů práce, ačkoli tito vrabci dělali totéž, co dříve musel dělat každý. Pan president tomu neříkal nic, protože nechápal smysl toho, co se děje.

Ve třetí generaci uhynuli vrabci v celé ulici, protože setrvávali v hnízdě od narození, nedovedli už zobat a byli přesvědčeni, že právě oni jsou průkopníky nového vyššího způsobu života. Několik nejstarších vrabců pamatovalo jiné doby, ale nikdo jim nevěřil. Když jednou nejstarší vrabec z ulice seděl opět za anténou na střeše vědcova domu, napadlo ho, že se možná tehdy mýlil a že hloupý vrabec je opravdu jen a jen hlupák, a že k vědci zabloudil omylem, právě proto, že byl hloupý. Ale ta myšlenka byla nepravděpodobná — vždyť hlupák-skladník přece nemůže být presidentem. A tak se šel tajně proletět do vedlejší ulice a myslel si, že to nechá koňovi, ten má větší hlavu.

HODNOTA POZNÁNÍ

Byl jednou jeden chlapeček a ten byl velice hodný. Netrápil kočky, neházel kamení po psech, nerozbíjel okna, nepropichoval chrousty. Vůbec nebyl sadista a přál každému, aby se těšil ze života. Skoro bychom mohli říci, že byl liberál, ale nevíme, zda by to chlapeček nepovažoval za urážku. Měl tedy rád všechna zvířátka, chodil se na ně dívat do zoologické zahrady a krmil je. Jen jedno zvíře nemohl ani vidět — hrocha. Nedá se říci, že by hroch někdy něco chlapečkovi udělal, spíše ho ignoroval a nechápal, ale to víte — děti. Chlapečkovi byl prostě hroch odporný, sám nevěděl proč. A jak viděl, že jiné děti zabíjejí kočky, ptáčky nebo psy, rozhodl se svést boj s hrochem. Napřed k němu přišel a vyprovokoval hádku. Nadával hrochovi dokonce sprostými slovy, říkal mu, že je zbabělec, hlupák a škaredý tlustokožec.

Ale hroch nic. Chlapeček si vymyslel i horší nadávky a nakonec na hrocha plivl. Hroch nic. Chlapeček se tedy osmělil a zasadil mu zezadu pořádnou ránu, až ho pěst zabrněla. Hroch nic. Tak to zkusil zepředu a už to šlo ráz na ráz, direkt, hák, kopance, facky. Ale hroch nic. Ani se nepohnul. Chlapeček se bojem unavil. A tehdy vám ho napadlo, že takhle nad hrochem vůbec vyhrát nemůže. Začal tedy hrocha pozorovat. Zjistil si, čím se hroch živí, a přečetl si všechno možné o tlustokožcích. Všiml si, kdy ho hlídač krmí, a že mu dává žrát brambory. Pak si řekl, že je hloupost napadat hrocha přímo, když je tímto způsobem nezranitelný, ale že je možné ho napadnout zevnitř, kde je zranitelný jako kdokoli jiný. Pak už to bylo jednoduché. Koupil kilo žiletek, nastrkal je do brambor, hlídač hrocha nakrmil a hroch chcípl. To je jediný možný způsob kritiky tlustožožce. Ale neděkujte za poučení chlapečkovi. Ten zatím vyrostl a stal se z něho pěkný tlustokožec. Kontroluje pravidelně svou stravu.

PŘEMĚNA KVANTITY V KVALITU
aneb Jak se soudružka Šestka rozzlobila

Milé děti, jednou byla jedna soudružka švestka a ta se jmenovala Oldřiška. Náhoda tomu chtěla, že se soudružka švestka narodila na samém vrcholku stromu a byla tedy daleko více vystavena paprskům božího slunéčka než její ostatní sestřičky švestky. Ty vyrůstaly na nižších větvích, nebo docela dole ve stínu. Švestka Oldřiška byla proto daleko zralejší než ostatní. Byla už v mládí celá do modra, takže se jí všichni obdivovali a říkali: « Ta je modrá, ta je modrá. » A taky že byla. Srovnávala svou modř ráda s oblohou a pohrdala druhými švestkami, zejména těmi, které vyrostly na níz-

kých větvích. Ty dole ovšem nebyly vůbec modré —
ale, opravdu, ta drzost, děti — byly zelené! A když si
tak jednou naše Oldřiška uvážila, že to je vlastně ne-
přístojné, aby byly někde jiné švestky než modré, ro-
zhodla se, že to tak nenechá.

A taky nenechala. Svolala z nejmodřejších přítelkyň
komisi pro zmodrání švestek a ta vydala direktivní
směrnici, že bude ode dneška řídit plánované dozrání
všech švestek, zejména těch zelených na dolních vět-
vích. Když to slyšely zelené švestky dole, tak se tvářily,
jako že nic nevědí o direktivě zmodrat. Říkaly, že ze-
lená je vlastně taky hezká barva, že svět má být růz-
nobarevný, že spektrum existovalo, co svět světem stojí
a takové intelektuálské výmysly. « No počkejte, já vám
napravím povrch, až zmodráte, » řekla si soudružka
Oldřiška, « kdo to jaktěživ slyšel, že by švestka byla
hrdá na svou nezralost! Co je to za poťouchlé narážky?
Vždyť to je urážka všech našich usilovně modrajících,
to je neslýchaný postoj k direktivě o zmodrání! » Tak
se rozčilovala soudružka Oldřiška na schůzi komise
pro zmodrání, div že z toho nedostala peckový infarkt.
Některé moudré švestky ji upozorňovaly, že když jsou
švestky dole, jsou obyčejně zelené, a když se dostanou
nahoru, že přirozeně zmodrají, protože to je normální
proces růstu. Jiné mlčely, protože byly za mlada taky
do zelena. Schůze skončila kompromisní formulací, v
níž autoritativní komise pro modrání upozornila na
vážné nedostatky v činnosti slunce a vypověděla ne-
smiřitelný boj vrabcům a špačkům. Aby se zároveň Ol-
dřiška uklidnila, odsoudila komise všeobecně zelenou
barvu, pokárala ty nejzelenější a jednu švestku odsou-
dila to trvalého stínu. Rodný trs se pak od ní odtáhl,
ačkoli byli všichni stejní zelenáči, a švestky z tohoto
trsu pak honem hledaly kdejaký paprseček, aby se
zdály modřejší a nebyly — bůh chraň — rozpuštěny
jako trs.

Ale direktiva nepomohla. Slunce svítilo, jak chtělo,
špačci klovali do zelených i do modrých, jen ve škole
se děti pořád učily o modré barvě. A tak zelené švestky

zůstávaly zelené, což Oldřiška považovala za znevažování své vedoucí úlohy a za pořouchlost k direktivním směrnicím. Vypověděla nesmiřitelný ideový boj zeleným švestkám a tajně připravila naložení těch nejhorších do zavařovacích lahví. Ale co se nestalo. Šum ve větvích upozornil pána stromu, a ten se přišel podívat, jestli se mu do švestek nedali špačci. A když už byl na místě, zatřásl stromem, aby se přesvědčil, jak jsou plody zralé. A byly. Oldřiška spadla první. Po ní členky autoritativní komise. Zelené švestky zůstaly. Pán vzal nejmodřejší Oldřišku do ruky, prohlédl si ji a řekl: « Trochu přezrálá, ale do povidel bude ještě dobrá. » A taky že bude, milé děti.

RADOSTNÉ PERSPEKTIVY

Byla jednou jedna stará paní, a ta se živila háčkováním. Háčkovala dečky, ubrusy a metafysické systémy. « Budete háčkovat daleko lépe, provedeme-li na vás malou operaci, » řekl jí jednou lékař. « To bych byla velice šťastna. Udělám ráda vše, co si přejete, » odpověděla paní. « Musíte si dát utít ruce, » řekl lékař. « Ó, prosím, » řekla paní. Když jí uťali ruce a rány se zahojily, ptala se paní lékaře: « Jak teď mám háčkovat lépe než dříve, když nemohu držet jehlice? » « Nepočítali jsme s tím, » řekl lékař, « že jehlice je třeba držet v rukou. Nesmíte však zneužívat dílčích nedostatků a líčit svůj stav příliš černě. Zbývají vám přece všechny ostatní údy a orgány, takže nějaké kverulantství by se vám stejně netrpělo. Konečně, princip operace byl správný a byl proveden v souhlase s míněním autorit. » « Zajisté, ale jak mám nyní háčkovat? » ptala se paní. « Nesmíte idealizovat dřívější podmínky, » odpověděl lékař. « Soustava, ve které jste mohla háčkovat rukama, byla nelidská. Dali jsme vám svobodu háčkovat vším ostatním, zejména svobodu háčkovat nohama a držet jehlice v zubech. Vidíte, že se můžete svobodně rozhodnout pro způsob svého dalšího života.» «Obávám se, že je s háčkováním konec,» domnívala se paní. «To by bylo velmi nesprávné,» tvrdil lékař, «protože vaše rozhodnutí opustit háčkování by mělo demobilizující význam pro ostatní. Nesmíte nikdy ztrácet perspektivu. Čerpejte optimismus z velkého rozvoje, jejž vidíte všude kolem sebe. Kromě toho by vás podobné defétistické názory zavedly na šikmou plochu. Slyším ve vašem hlase výčitku. My vám přece nebráníme háčkovat dečky, ubrusy a metafysické systémy. My vás naopak osvobozujeme od rukou, které jsou tak zbytečné a škodlivé procesu háčkování. Cožpak jste nečetla dílo slavného učence? Vaše myšlenky jsou skrytým vyjádřením nedůvěry lékařské vědě. Důsledně dovedeny do konce by byly názory nepřítele. Obávám se, že tyto myšlenky souvisí s vašimi vztahy k cizímu zastupitelskému úřadu.» Paní mlčela, protože žena druhého tajemníka patagonského vyslanectví si u ní opravdu koupila dečku. Učila se pak háčkovat nohama a držet jehlice v zubech. Ale už nikdy nic neuháčkovala. Nakonec přestala. Lékař prohlásil: «Je tvrdošíjná! Nechápe své vlastní perspektivy. Ukážu jí, jak člověk oddaný našemu zřízení překoná takové nesnáze. Meresjev — můj cíl.» Ve vlasteneckém nadšení si pak uřízl levou ruku, načež shledal, že si nemá čím uříznout pravou ruku. «Chybami se člověk učí,» řekl si lékař, «jsem hrdý, že jsem se mýlil s vědeckým světovým názorem a ne s pověrami svíčkových bab.» Pak dostal státní cenu a penzi akademika za to, že se mýlil vždycky na straně pokroku.

O SLEPICI A VEJCI

Milé děti! Bylo jednou jedno vejce a jedna slepička. A když jednou neměli co dělat, tak se vajíčko zeptalo slepice: «Co bylo dříve, slepice nebo vejce?» «No přeci já,» řekla slepice, «kdybych nebyla na světě dříve než ty, tak bych tě nemohla snést, a ty bys nebylo.» «I toto,» smálo se jí vajíčko,» tys přece musela být vejce, abys mohla být slepice, takže já jsem tu muselo být dřív, heč.» «Samozřejmě, uznávám, že jsem byla vejce,» pravila rozvážně slepice, «ale to vejce musela snést jiná slepice, protože kdyby je nesnesla, tak by nebyla další slepice. Máš přece zdravý rozum, tak pochop, že bys tu nemohlo být, kdyby tě nějaká slepice nesnesla.» Ale vejce bylo vzdělané, řeklo «Omne vivum ex ovo» a odvolalo se na pythagorejskou představu, podle níž vznikl celý svět z vejce. «Tedy i slepice musela vzniknout z vejce,» vyvozovalo vejce, «nehledě k tomu, že máš přece zdravý rozum a jistě pochopíš, že bys tu nemohla být, kdyby tu nebylo vejce, z něhož by ses mohla vylíhnout.» Ale slepice byla marxisticky vzdělaná, poukázala na kriterium praxe, zakdákala a snesla triumfální důkaz — zbrusu nové vejce.

Jenže, milé děti, to vejce nebylo jen tak obyčejné vajíčko, bylo plodem metafyzického sporu. A tak se z něho vyklubalo něco docela neočekávaného. Ani kohoutek, ani slepička — ale tajemníček. Byl docela malý, a tak nikomu nepřekážel, žil si pěkně na hnojišti vedle slepičky a vajíčka. Ale jednou ho napadlo, že by měl vlastně vládnout všem slepičkám a vajíčkům, že je živé kriterium praxe, takže musí všechno rozhodovat. Najednou se mu zdálo hnojišťátko malé, byl by chtěl větší. Jen nevěděl, jak to má udělat, aby mohl vládnout slepičkám a vajíčkům. Ale když viděl, že všichni kolem něho snášejí, začal snášet taky. Snesl většího tajemníčka a ten už měl hnojiště větší, okresní, a měl k ruce další místní a hnojištní tajemníčky. A když viděl, že za okresními humny je ještě mnoho prostoru, který sám neobsáhne, ba který ještě není ani řádně zahnojen, snesl honem dalšího tajemníčka. A ten už vlastně ani tajemníčkem nebyl, byl to pořádnej tajemník a hnojiště měl krajského formátu, veliké jako půl království. Ale i ten krajský musel snášet a tak vám, milé děti, snesl hlavního tajemníčka, kus jak hrom. A to právě neměl dělat.

Hlavní tajemníček už nemohl zabírat další prostor a tak si řekl, že teď musí snést víc krajských tajemníčků, aby mohl lépe vládnout slepičkám a vajíčkům. A když to viděli další nižší tajemníčkové, tak to dělali právě tak, protože přesvědčili slepičky a vajíčka, že ted bude více hnojišť. A to byla pravda. Hnojiště kvetla, rostla a rozrůstala se, až bylo všude plničko tajemníčků. Jenže tak se stalo, že na hnojišti už nebylo místo pro slepice a vajíčka byla za korunu šedesát nebo nebyla vůbec. Tajemníčci ovšem z tohoto stavu obvinili všechny slepice a odsoudili je na pekáč. Byli přece sami kriteriem praxe. Slepičky se poslušně zlikvidovaly, vajíčka zanikla, protože je neměl kdo snášet. Jen ti tajemníčkové nám zůstali. A to je dobře, milé děti, protože bez kriteria praxe bychom zabloudili v metafyzice, že ano, milé děti?

VZNIK DIALEKTIKY

Královský syn Herakleitos se nudil, často a důkladně. Rozkoše lásky pro něj měly určitý půvab, ale protože v přestávkách mezi souložemi musel něco dělat, nudil se. Nabyl v tom suverénity a technika nudy ho nakonec tak zaujala, že ho nudila i sama nuda. Rozhodl se, že ji bude potírat tím, že vytvoří svou osobní filosofii. Toto předsevzetí začal uskutečňovat tak, že si vždycky večer psal deník.

Ráno si vzal plavky a šel se koupat do řeky za efezskou bránu. Doufal, že tam budou flétnistky ze souboru efezských písní a tanců, které tam byly včera. Když vstupoval do řeky, uviděl, jak se v záhybu koupaly nahé a jak ječely, když k nim plaval. Líbila se mu ta s velikýma očima. Neucházel se o ni, protože byl přesvědčen, že v něm oceňuje jen královského syna a ne muže. Táhlo ho to spíše k trochu vulgárním pištkyním. Pak se naučil využívat svých skutečných předností a přestal diferencovat mezi ženami vůbec. Šel na totéž místo, co včera, skočil do vody a krauloval do zátočiny. Potopil se a řekl si: když uvidím tu s telecíma očima, vyspím se s ní. Potopil se, plaval pod vodu, až mu plíce praskaly, a pak se vynořil. Ale nebyl tu vůbec nkdo, natož kráska s telecíma očima. Herakleitos byl otráven, chvíli se coural u řeky a pak šel domů.

Byl rozmrzelý a zastavil se v hospodě na vermut. «Nevíte, kam šly flétnistky ze souboru?» ptal se, když platil hospodskému. «Viděl jsem je jít dolů k moři,» řekl hospodský. Herakleitos se tam vydal. Viděl je jen z dálky a říkal si, jaká je to otrava, že ještě není vynalezen dalekohled. Když seběhl se stráně, flétnistky odcházely. Herakleitovi dodal vermut odvahu a poprosil telecí krásku, aby s ním chvíli zůstala. Ta byla celá šťastná, protože ji dráždil Herakleitův intelekt jako každou hloupou ženu. Sklopila ovšem oči a řekla, že ne, aby se Herakleitos ještě více rozhořel. Ale když viděla, že to bere vážně, honem dělala, jako že si vyvrtla nohu. Herakleitos toho využil a docela se mu to líbilo. Večer si napsal do deníku: «Vše se mění. Nikdy nevstoupíš do téže řeky. Flétnistky se chodí koupat do moře.» Když později vytvářela efezská rodina mýtus o svých předcích a byl nalezen deník královského syna, byly kompromitující výroky o flétnistce škrtnuty. Z Herakleitova deníku byla učiněna státní filosofie maloasijských držav Efezu. Texty se staly hlubokomyslnými, temnými, dialektickými.

DIALEKTIKA

Babička měla ráda sulc.
Sedla si s vidličkou nad sulc.
Sulc se začal třást, ale babička jedla.
Bylo mi sulce líto.
Měl jsem též rád babičku.
Sedl jsem si s vidličkou na babičku.
Babička se začala třást.
Bylo mi babičky líto.
Sesedl jsem a odložil vidličku.
Ale babička se třást nepřestala.
Sulc rovněž ne.
Od té doby mám rád zeleninové polévky.
Celý se na ně třesu.

IMAGINACE

Byla jednou jedna mladá kráva a ta se jmenovala
Babeta. Byla hrozně ambiciósní a tak si usmyslela, že
bude lítat. « Ty seš ale kráva, » říkala jí dospělá do-
bytčata, « krávy se disciplinovaně pasou, ale nelétají. »
Když Babeta poprvé v rodinném kruhu prohlásila, že
chce létat, otec býk pravil: « Bože to máme tele! Ta
dnešní škola nenaučí žáky ani rozlišovat mezi ptactvem
a dobytčaty. Kam to spějeme? » Pro Babetu byl otec
stále ještě zdrojem autority, protože byla domácky vy-
chované tele, a tak zapochybovala o svých možnostech.
Ale brzy na to se seznámila s teoriemi doktora Spo-
cka, emancipovala se od rodinného vlivu a nabyla
přesvědčení, že tatínek je vůl. Protože touha létat
neochabovala, tele začalo zase toužebně vzhlížet do ne-
be, zejména v hodinách matematiky. Když se Babeta
svěřila kamarádkám, že touží po aeronautice, případně
kosmonautice, kamarádky řekly: « Ty snad bereš LSD.
Kde se v tobě takový voloviny berou? »

Tele bylo smutné, protože nikdo nechápal idealistické sklony dychtivého mládí. Létaní připadalo všem nemístné, protože kráva je kráva a basta a šlus a konec diskuse a bác pěstí do stolu. Kampak bychom dospěli s takovou imaginací. A tak se Babeta rozhodla, že na to půjde vědecky. Šla za nejchytřejším spolužákem-býkem, který vynikal v přírodních vědách a matematice, ale zase měl čtyřku z přežvykování, což byl na té škole povážlivý nedostatek. A ten mladý býček povídá teleti: « To je jednoduchý. Když chceš lítat, tak potřebuješ vznášedlo, to jest vrtuli, která by překonala zemskou tíži, a zdroj energie, který by tu vrtuli poháněl. Přijď zejtra večer, já se uleju z přežvykování a udělám ti vrtuli. » A opravdu, býček tu vrtuli udělal, spojil ji s baterkami, a když Babeta přišla, tak zkusili, jestli to vznášedlo bude fungovat. A ono to opravdu šlo. Tele si natáhlo přes záda opasek, na němž byla nahoře připevněna vrtule, a dole byly baterky, co roztáčely vrtuli. Babeta se poprvé vznesla do nebe a zabučela nadšením, takže ani neslyšela, jak jí býček říká: « Baterky musíš vždycky pořádně nabít, jinak by ti při letu selhaly a to by sis poškodila přežvykovadlo. » Babeta měla ze vznášedla takovou radost, že pocítila k býkovi sympatii a udělala na něj telecí oči. Ale býček nic, byl ještě spíš na vědu. A myslel si: « Přece nejsem vůl. »

Babeta začala trénovat létaní na zahradě, když nikdo nebyl doma a rodiče byli v práci, to jest na pastvě, na přežvykování. Napřed se vznášela jen trochu, tak metr nebo dva nad zemí, ale pak si dodávala odvahy, kroužila nad barákem, udělala piruetu, přistála na komíně a hned nahoru, a hned zas dolů, vybírala zatáčky a dělala loopingy, až se stala úplnou akrobatkou v létaní. Už už snila o titulcích v novinách: « Kráva Babeta přebornicí v aeronautice, » « Létající kráva dobývá vesmír », a tak podobně. Jenomže zrovna tehdá to prasklo. Vedle u sousedů byl nemocný dědeček, který byl lékařsky uznán neschopným přežvykování a tak si hověl na zahradě a trochu pil, přesněji, trochu hodně pil. A najednou vidí — bože — u sousedů nad barákem lítá kráva a vypadá zrovna jako Babeta. Napřed si děda myslel, že špatně vidí, a že je to jen obyčejná helikoptéra, která vypadá jako kráva. Ale ne, byla to opravdu kráva, která létá! Děda zavřel oči, jestli to není jenom halucinace, ale když je otevřel, kráva si to plachtila zrovna kolem komína. Když si děda uvědomil, že to je doopravdy, začal křičet: « Pomoc, pomoc, tady lítá kráva. » A utíkal na louku k našim přežvykujícím. Jenomže jak křičel, tak se naše tele polekalo, schovalo vznášedlo a honem na louku a hned se začalo pěkně disciplinovaně pást. Když děda přiběhl na louku, nikdo mu nevěřil a všichni si mysleli, že si děda prostě moc přihnul. Předseda žvýkací komise mu povídá: « To jsou halucinace, půjdeš na vyšetření. Sousedovic Babeta se přece támhle pase, copak to nevidíš? » a ukázal na Babetu, která se tam opodál živila a dělala jakoby nic.

Jenže brzy potom zase někdo zahlédl tele lítat, a od té doby už nepřestaly kolovat pověsti, že v té obci mají krávu, která lítá, a v okolních vesnicích se říkalo, že tam v té obci na Hukvaldech prý dokonce všechny krávy látají a ještě dál se vážně tvrdilo, že právě táhnou do teplých krajin. A tak tomu postupně začali lidé věřit, povídali si, kdy kdo kde viděl krávu létat, děti si o tom povídaly a vůbec, najednou to byl fakt. Tehdy se v místním tisku objevily populárně vědecké články, v nichž pan učitel vysvětloval, že krávy nemohou překonat zemskou tíži, že je sice možné věřit v létající talíře, ale věřit v létající krávy je proti zdravému rozumu, že je to znevažování odkazu Ciolkovského, a že proti těmto přežitkům minulosti je třeba vést nesmiřitelný boj. Pan učitel také uvedl, že zdrojem těchto zpráv je vzrušená imaginace, konkrétně nejmenovaný občan /každý věděl, že to je děda/, který je známý alkoholik a je v trvalé psychiatrické péči, což bylo nesporně pravda. Jenže to víte, dobytek: věří spíš legendám než panu učiteli. A tak to nepomohlo a za chvíli zas někdo viděl létat krávu, prý i dvě, na Hukvaldech, ve Sklenově, kolem hradu, v oboře a dokonce prý i u Rychaltic. Babeta z toho začala mít švandu, protože se teď specializovala na létání za šera, naučila se moc pěkně houkavě bučet, takže byla něco jako obecní strašidlo. Vždycky k večeru létala k tomu býčkovi, aby jí nabil baterky a vykládala mu koho a jak vystrašila. Moc se tomu vždycky nasmáli a bejček si na Babetu zvykl, ačkoliv si myslel: «Takový tele.» Nakonec se trochu zamiloval, už nebyl tak pilný v matematice a došel k závěru, že je asi vůl, když se zamiloval do telete. Když se na něj Babeta podívala svýma telecíma očima, tak býček propadal citům do té míry, že zapomněl jednou i nabít baterku. A co se nestalo, panečku.

Na druhý den k večeru se Babeta zase rozletěla do světa a pěkně si to troubila, hů hů hů, když tu se najednou přestala vrtule točit. Baterky byly špatně nabité a tak přestaly pohánět vrtuli. Kráva spadla dost zvejšky a zlomila si nohu. Hned se kolem ní seběhl ostatní dobytek a když se Babety ptali, co se stalo, tak říkala, že se polekala, protože viděla letět to strašidlo a slyšela je houkat hů hů hů. Rozběhla se, uklouzla a zlomila si nohu. A krávy okolo říkaly, že taky slyšely to hů hů hů a že se to takhle nemůže nechat, že obec musí zakročit. A taky zakročila. Naši přežvykující začali držet po setmění pravidelné ozbrojené hlídky. Jenže se teď nic nedělo, protože Babeta měla nohu v sádře a jen dobytčí mládež dělala na sebe schválně večer hů hů hů, aby postrašila rodičovské hlídky. Až jednou měl hlídku ten děda, co hodně pil. A zrovna tehdá večer navštívil ten mladý býček — vynálezce vznášedla — svou přítelkyni Babetu se zlomenou nohou. A aby byl dřív doma, tak si půjčil vznášedlo, nabil baterku a po půlnoci si to klidně namířil domů. A jak letěl v krásné měsíční jasné noci — ani nehoukal — tak najednou slyší: «Halt, nebo střelím» — děda na něj míří puškou. Bejček honem zahnul za komín a slyší: «Prásk, prásk,» děda po něm pálí brokovnicí. Jenže děda byl zase nalitej, takže nic netrefil, jen trochu provrtal vrtuli. Druhý den si celá obec vypravovala, že děda zastřelil strašidlo. Moc se mu sice nevěřilo, ale je pravda, že od té doby už na Hukvaldech nestrašilo. Pan učitel se usmíval a říkal, že osvětová práce dělá zázraky v převýchově našeho dobytka. Okresní psychiatr říkal, že je to jedinečný případ halucinogenní psychózy a její represe a napsal o tom odborné pojednání pod názvem: «Létající krávy a imaginační potenciál našich přežvykujících.»

Doopravdy tomu bylo tak, že vznášedlo se muselo napřed opravit a tele Babeta se přestalo zajímat dočasně o létání kvůli té noze v gypsu, zatímco býček naše tele začal bavit, i když zrovna nenabíjel baterky. Chodili spolu do tanečních a brzy byla svatba. Babeta se potom dala na háčkování, což se mezi dobytkem považovalo rovněž za extrémismus, ale konec konců, proč ne, a býček se začal pěkně pást a přírodními vědami se zabýval jen zřídka, pod vedením pana učitele, jenž dokazoval zákony gravitace a zejména s oblibou dovozoval, že krávy nemohou létat, protože kráva je kráva, kosmonaut je kosmonaut, kdežto kdyby kráva byla kosmonaut, kosmonaut by byl kráva, což je urážka pokroku.

Pan učitel rád uváděl příklad z dějin obce Hukvaldy o masové iluzi ohledně létajících krav a odvolával se na vědecký článek psychiatra, dodávaje, že jediný známý případ létající krávy byla letecká přeprava hrdinky družstevního přežvykování, plnotučné dojnice na mezinárodní výstavu dobytka, ha, ha, ha. Býček si myslel, že pan učitel je vůl, ale neřekl to, protože by byl dostal horší pastvu. Jen ho tak jednou napadlo, že by měl opravit to vznášedlo. Brzy na to přišlo ze školy za Babetkou její malé telátko, hodí tašku na stůl a povídá: «Mámo, pan učitel nám říkal, že prý kdysi tady u nás dobytek věřil, že krávy mohou létat jako ptáci. Může kráva létat?» A Babeta se trochu zamyslila a povídá: «To jsou takové legendy. Imaginace, víš?» A zase začala háčkovat. A to telátko přitisklo nos na okno a podívalo se ven, na louku. A jak se tak kouká, tak najednou vidí, jak si to táta frčí kolem oken rovnou do nebe. « Jů, to je imaginace, » povídala ta malá Babetka, a měla pravdu, protože imaginace to opravdu byla.

TŘÍDNÍ BOJ

Bývalý vládní voják, nyní předseda v obci Kostelec a zároveň důvěrník STB, střílí vždy v sobotu odpoledne po toulavých psech a baví se. Bývalý kulak v sousední obci Hýsly vždy v sobotu odpoledne střílí po toulavých psech a baví se. Za soumraku důvěrník považuje druhého za toulavého psa a zastřelí ho. Živý zastřelil živého, takže jeden živý se stal mrtvým. Živý byl však dobře vychován a omluvil se: « Promiňte, že jsem vás usmrtil, » řekl a očekával odpověď. Neuslyšel však nic, protože mrtvola mlčela jako mrtvá. « Jste nezdvořilá mrtvola, » řekl živý, « odpustil bych vám konečně vaši nezdvořilost, omluvil jsem se přece, ale vaše mlčení je přímou službou nepřátelskému táboru. Nelze přece mlčet, nechcete-li být považován za nepřítele. » Ale mrtvole to bylo očividně jedno. « Je mi vás líto, mrtvolo, » řekl živý. « Musím vás zastřelit. » A učinil to. Když živý hlásil nadřízenému zastřelení mrtvoly, sebekriticky doznal, že si nebyl jist, zda šlo opravdu o nepřítele. V té chvíli se mrtvola zvedla a řekla: « Kuku, kuku, jak mne slyšíte, jak mne slyšíte, přepínám. » « Vidíte, že je to třídní nepřítel, má tajnou vysílačku, » řekl nadřízený. « Vaše sebekritika není na místě. »

METODOLOGIE

Jeden měl plnicí pero a bílý papír. Druhý psal tužkou do bloku. Třetí používal psacího stroje a růžového průklepového papíru. Čtvrtý byl originální a psal nehtem na stole. Pátý přemýšlel a nepsal. Ostatní říkali že je bohém. Všichni byli šťastni, protože měli prostředky ku psaní. Dělili je na prostředky, jimiž se píše /pero, tužka, psací stroj, eventuálně nehet/, a prostředky, na něž se píše /různobarevný papír, voskové tabulky, eventuálně stůl/. Bohém nesouhlasil s touto klasifikací a řekl, že by se měla mezi výrobní prostředky zařadit i hlava.

Na to namítl první, že je samozřejmé, že lidi bez hlavy nemohou psát, přesněji — malovat písmena a věty na papír. Druhý vytkl bohémovi chybnou představu, že se píše hlavou. Hlava sice se na procesu psaní podílí, ale její účast je zanedbatelná. Třetí řekl, že s hlediska logiky nemá hlava k prostředkům ku psaní tertium comparationis, a to byla pravda. Čtvrtý uznal, že čmárá nehtem po lavici zpravidla bezmyšlenkovitě. Pátý už nahlas nic neříkal o hlavě.

Život šel dál. Členové vědeckého ústavu psali a psali. Jeden měl plnicí pero a bílý papír. Druhý psal tužkou do bloku. Třetí používal psacího stroje a růžového průklepového papíru. Druhý psal tužkou do bloku. Třetí používal psacího stroje a růžového průklepového papíru. Čtvrtý přestal psát nehtem na stole. Ostatní říkali, že pije. Ale všichni čtyři dávali pozor na bohéma. Jeden nikdy neví. Co kdyby chtěl psát hlavou? Představte si toho podivína?

ŘÍKANKA O SPOLEČENSKÝCH ŘÁDECH *

Řády dělím na řády, t.j. socialistické země a ne-
řády, t.j. kapitalistické země. Řády i neřády mohou
být jak řádné, tak neřádné, takže řadíme-li řády řádně,
jsou řády řádné, řády neřádné, řádné neřády a ne-
řádný neřád. Podle řízení řadíme řády na řízené a
neřízené. Řízený řád může být buď řádný nebo ne-
řádný, kdežto neřízený řád je vždycky neřád, ale je
lepší než neřádně řízený řád, o neřádně řízeném či
neřízeném neřádu ani nemluvě. V přechodném řádu
existuje řád-neřád neboli pa-řád, v němž řádí neřádi
napořád. Avšak proti pařátům neřádů stojí a-pařát.
Pařáty neřádů řádu i pařáty neřádů z a-pařátu
řádí napořád v řádu, neřádu i pa-řádu, a to po-
řádně. Řídí popořadě řád v neřád a neřád v řád a řízně
řádí. A-pařát říka: « V řád, neřádi, v řád! Řídit řád!
A řízně! » Neřádi řičí: « Řiďme řád v řiť! »

CIT

Byla to velmi dobře vychovaná dívka. Měla ráda
květiny, poezii, tanec, a hudbu. Když jí přinesl své
srdce, řekla: « Proč není zabalené? Srdce má být v
celofánu, jako bonbóny, mýdlo nebo chléb. Jinak je
nehygienické. Ale je to od vás milé, že jste mi přinesl
své srdce. » A usmála se na něho, protože byla zdvo-
řilá.

« Promiňte, » řekl a začervenal se, « příště vám
přinesu srdce v celofánu. » « Ano, takhle je sice hezky

---

* Pro děti obtížně si osvojující hlásku ř, přičemž dítko je
nevtíravě poučováno o přednostech našeho řadu, čehož si
bedlivý čtenář neopomeniž povšimnout.

červené, ale je příliš drsné. V celofánu je všechno hladké a já mám ráda hladké věci. Ale dejte mi přece to srdce, vždyť jste je přinesl pro mne. » « Ano, přinesl jsem je pro vás a dlouho jsem je hledal, než jsem je našel, » řekl a položil jí srdce do dlaně. « Jé, to je teplé, » řekla a dotkla se ho prstem, « a podívejte, jak mi bije v dlani, jako by se mne bálo. To je hezké. » Měl radost, že pochválila jeho srdce, a že je pozoruje se stejným zájmem jako kvetoucí mečíky.

« Ale co mám dělat s vaším srdcem, to nevím. Myslíte, že se dá jíst? »

« Bylo by mi ctí, » řekl on, protože ji miloval.

« Jakpak asi chutná? Ještě nikdy jsem nejedla srdce. Jestlipak je tak dobré jako broskev? » A protože chtěla poznat, zda je srdce sladké jako broskev, kousla do červené broskve v rukou, až vytryskla krev.

« Au, něco mi stříklo do oka. A podívejte se, pokapala jsem si šaty. Jste škaredý, že jste mi přinesl něco, z čeho teče krev. A kromě toho není sladké. To nechci. »

Dupla nohou, zahodila škaredé srdce a odešla. Později přijímala jen srdce v celofánu. Dávala si je rozkrájet na jemné plátky a přísně vyžadovala, aby se vymačkala předem ta trpká tekutina, která není sladká a znečišťuje šaty. Teď už věděla, jak se má jíst srdce. Byla to dobře vychovaná dívka.

CO SOUDÍTE O GINSBERGOVI?

Pan Václav Čehona si přečetl článek o Ginsbergově případu v Mladé frontě a pravil: « Měli ho zavřít. Ta kultura nám přerůstá přes hlavy. » Paní Čehonová s tím souhlasila. Ale šťavnatosti líčení ji zaujaly tak, že si večer zaduchařila a položila kulturním představitelům minulosti ve spiritistické seanci otázku: « Co soudíte o Ginsbergově případu? » Dostala tyto odpovědi:

Karel Hynek Mácha: Teď chápu, proč se nikdo zatím neodvážil vydat můj deník, který jsem si psal zrcadlovým písmem.

Vítězslav Nezval: To by mne zajímalo, kdo má dnes můj zápisník. Aby mne v záchvatu mravnosti nevyškrtli z čítanek!

S. K. Neumann: Mně taky paďouři nadávali, že jsem psal pornografie.

Josef Švejk: To chce klid.

František Halas: Škoda, byl by to pěkný příspěvek pro « Erotickou revui », kterou jsme my, komunističtí intelektuálové, vydávali v době kapitalistického útlaku.

Sokrates: Já jsem podle policajtů taky kazil mládež. Češi jsou barbaři. Ginsberg byl zřejmě kulturní člověk jako já.

Sapho: Mám pro něj pochopení.

William Shakespeare: A že vydávají v češtině mé sonety, psané pro muže?

Oskar Wilde: Jste pokroková země. Mne za to strčili do kriminálu.

Marcel Proust: Metody policie jsou stabilní.

Arthur Rimbaud: Po mně se střílelo.

Charles Baudelaire: Básník se nesmí dát posuzovat měřítkem domovnic. Je u vás domovnice šéfredaktorkou Mladé fronty?

Michelangelo: Měl bych to u vás těžké.

Čajkovskij: Já jsem si nic nezapisoval, mně by se to nestalo.

Heinrich Heine: Má rodina můj deník spálila. Zbyly jen fragmenty. Přečtěte si je.

Jaroslav Vrchlický: Tak Rytíř Smil by neobstál ani ve vyšší sociálně ekonomické formaci? Proč se tedy opisuje?

Svaz českých spisovatelů: Rybí zpěv.

Karl Marx: Napsal jsem kdysi doslova toto:

« Jeder muss seine religiöse wie seine leibliche Notdurft verrichten können, ohne dass die Polizei ihre

Nase hineinsteckt. /Zur Kritik des sozialdemokratischen Parteiprogramms/. » Raději to přeložím: « Každý má mít možnost uspokojovat své náboženské i tělesné potřeby, aniž mu do toho strká nos policie. » Zdá se, že v českém národě, o kterém jsem nikdy neměl valné mínění, neznají mé názory. Anebo mne rozvinuli?

V tomto okamžiku vešel pan Čehona a ukončil seanci, řka: « To jsou takový intelektuálský řečičky. Měli ho zavřít, židáka sprostýho. Víš, že mám mnoho výhrad proti režimu, ale v tomto případě stojím pevně za policií, stranou a vládou. » Pak šel spálit svůj vlastní deník z mládí.

MÝTUS

Bůh Apollon si oblíbil Marsya a byl s ním velmi šťasten. Milovali se, dokud jedn jednoho dne Marsyas neřekl: « Učiň ze mne velikého básníka, jakým jsi ty sám. » « Nejsi bůh, je to možné jen za cenu bolesti, musel bys mnoho trpět, » odpověděl Apollo. « Chci trpět, abych byl velkým básníkem jako ty, » řekl Marsyas. Apollon tedy přivázal Marsya ke stromu a začal ho mučit. Stahoval mu ze zad pruhy kůže, až Marsyas řval bolestí a proklínal svého milence. Když byl zalit krví, pochopil, že se blíží konec, a že musí myslet už jen na to, co bylo smyslem jeho života. Tím byl jeho mučitel, Apollon, bůh. Protože už nezáleželo na ničem, kromě několika chvil, které mu zbývaly, musel zpívat o tom, který ho mučil na smrt a dral mu kůži s těla. Tehdy Marsyas zazpíval největší píseň svého života, píseň svého života, píseň o Apollonovi. A ten, ačkoli byl bůh, plakal. Marsyas zpíval hrůznou píseň štěstí na mučidlech. Byl šťasten jako bůh a zemřel. « Jednal jsem příliš lidsky. Zabil jsem to, co jsem miloval, » myslel si Apollon. Lidé věří, že Marsyas byl potrestán za to, že špatně zpíval.

VÝCHOVA

Rozhodneš-li se vychovávat byrokraty k humanismu, kup si dobrý boxer. Pak jdi k byrokratu a sděl mu svůj záměr, udeřit ho boxerem do zubů. Otaž se ho na jeho vlastní názor. Nebude-li hodnotit tvůj podnět kladně, proveď přece jen svůj záměr. Je to tvá humanistická povinnost ve výchově byrokratů. Bude-li hodnotit tvůj návrh kladně, proveď záměr s byrokratovým vlastním souhlasem, možno-li písemným. Je to tvá povinnost. Rozšiř tuto zkušenost mezi byrokraty a uvidíš, že se jejich jednání změní. Pak odlož svůj boxer, ale občas zkontroluj jeho účinnost. Tak se vychovávají byrokrati k humanismu.

OBSAH

KNIŽNICE DIALEKTIKA ŽIVOTA

Ivan Sviták
DĚVČÁTKO S ČERVENOU MAŠLÍ

Obálku navrhl Marcel Anjou

V březnu 1975 vydalo nakladatelství
KONFRONTATION AG,
VERLAG UND ENGROS - BUCHHANDEL
Postfach 1355, CH - 8048 Zürich.

ISBN 3 85770 010 6

Cena brožovaného výtisku 12,00 FrS
V ceně knihy není započteno poštovné

Vytiskla knihtiskárna
INDUSTRIA GRAFICA MODERNA S.p.A.
Verona, Italia

Imprimatur 1. března 1975
Copyright © 1975 by Ivan Sviták, USA

Printed in Italy by
Industria Grafica Moderna S.p.A. - Verona